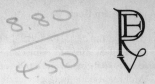

8.80
4.50

D1115142

Zu diesem Buch

Das Datum des 3. Oktober 1990 besiegelt das Ende des «ersten Arbeiter-und-Bauern-Staates auf deutschem Boden». Für viele war es ein Experiment, für das sie sich einsetzen zu müssen glaubten, noch bis zum bitteren Ende. Für die Mehrzahl bedeutete es vierzig Jahre Mangelwirtschaft, Bevormundung, Bespitzelung, Eingesperrtsein. Als die Mauer fiel, liefen die Bilder einer jubelnden Bevölkerung um die ganze Welt.

Daß vielen der Abschied vom alten Leben in «diesem Scheißstaat», wie er allgemein liebevoll tituliert wurde, dennoch schwerfällt, belegen die von Helga Königsdorf hier versammelten Protokolle. Sie befragte 18 ihrer Landsleute nach ihren zurückliegenden Erfahrungen, ihren Verletzungen, ihrer Schuld, nach neuen Hoffnungen, Sorgen, Ängsten und Erwartungen zum Zeitpunkt der Auflösung der DDR. Menschen ganz unterschiedlicher Herkunft, sowohl Regimegegner als Regimetreue, Täter wie Opfer kommen zu Wort. Solche, die sich politisch bereits neu organisiert haben in Bürgerbewegung, Neuem Forum, SPD, und solche, die an der ehemaligen Staatspartei, jetzt PDS, festhalten – darunter ein leitender Beamter des Stasi; Menschen aus dem Dorf und der Stadt, ganz junge und ganz alte, vom Nazi-Skinhead bis zum einstigen Mitglied der Roten Kapelle. Ein letztes, aber sicher noch nicht das letzte Kapitel DDR ist hier aufgezeichnet.

Helga Königsdorf, geboren 1936 in Gera, war bis Ende der siebziger Jahre als Mathematikerin an der Akademie der Wissenschaften in Ost-Berlin tätig. 1978 veröffentlichte sie ihre ersten Erzählungen: *Meine ungehörigen Träume*. Zwei weitere Sammlungen folgten, außerdem die Bände *Respektloser Umgang* (1986), *Ungelegener Befund* (1990) und *1989 oder Ein Moment der Schönheit* (1990).

Weitere Bände zum Thema:

Klaus Humann (Hg.): Wir sind das Geld. Wie die Westdeutschen die DDR aufkaufen (rororo aktuell 12925)

Hubertus Knabe (Hg.): Aufbruch in eine andere DDR. Reformer und Oppositionelle zur Zukunft ihres Landes (rororo aktuell 12607)

Michael Naumann (Hg.): «Die Geschichte ist offen». DDR 1990: Hoffnung auf eine neue Republik (rororo aktuell 12814)

Charles Schüddekopf (Hg.): «Wir sind das Volk!» Flugschriften, Aufrufe und Texte einer deutschen Revolution (sachbuch 8741)

Helga Königsdorf

Adieu DDR

Protokolle eines Abschieds

Rowohlt

rororo aktuell – Herausgegeben von
Ingke Brodersen und Hubertus Knabe

Lektorat Ingrid Krüger

16.–25. Tausend Oktober 1990

Originalausgabe
Veröffentlicht im Rowohlt Taschenbuch Verlag GmbH,
Reinbek bei Hamburg, Oktober 1990
Copyright © 1990 by Rowohlt Taschenbuch Verlag GmbH,
Reinbek bei Hamburg
Alle Rechte vorbehalten
Umschlaggestaltung Büro Hamburg – Jürgen Kaffer/Peter Wippermann
(Foto: Karl-H. Walloch)
Satz Times (Linotronic 500)
Gesamtherstellung Clausen & Bosse, Leck
Printed in Germany
880-ISBN 3 499 12991 4

Inhalt

Für meinen Enkelsohn Felix
und für alle Kinder der Revolution

Vorwort

Wir geben es auf, dieses Land, das mit seinen falschen Strukturen unser Wollen unmöglich machte. «Grau» wurde es genannt. Doch wir, die wir nicht genau wußten, wie die Welt aussieht, die wir krank waren vor Fernweh, haben in ihm, fast ohne es selbst zu bemerken, jede Menge Leben gelebt.

Davon wird in diesem Buch Zeugnis abgelegt. Es ist ein Buch über Trauer, Wut und Versagen, ein Buch des Abschieds. Es ist ein Buch des Mutes und des Aufbruchs. Liest man aufmerksam, wird es auch ein Buch der Liebe.

Jeder, den ich bat, war bereit, Auskunft zu geben. Ich habe Fragen gestellt und zugehört. Später, als ich alles aufschrieb, hat es mir den Atem verschlagen. Und zwar sowohl das, was gesagt, als auch das, was verschwiegen wurde. Verschwiegen, weil die Sprache fehlte oder weil die alte Sprachlosigkeit nahtlos in eine neue übergeht. Nicht immer bedeutete das, was gesagt worden ist, das, was es der formalen Logik nach zu bedeuten hätte. Und doch ist stets die Wahrheit verhandelt worden. Die Wahrheit des einzelnen, die keinen weiteren Anspruch erhebt. Die aber in der Summe etwas Gültiges erhält.

Was bleiben wird, sind wir, die Menschen in diesem Territorium. Ohne den Ort zu verändern, gehen wir in die Fremde. Heimat aufgeben kann eine lebenswichtige Operation sein. Doch immer, wenn das Wetter umschlägt, werden wir einander ansehen, lange noch, und diesen Schmerz empfinden, diese Vertrautheit, die keiner sonst versteht.

31. August 1990   Helga Königsdorf

Die Herablassung war System

Ich empfinde die Zeit als Befreiung, aber ich sehe auch Härten. Es ist eine Entzauberung: Zwar sind die Möglichkeiten des Westens noch da, aber jetzt ist man mittendrin und muß arbeiten, ist einem völlig anderen Leistungsdruck ausgesetzt. Insgesamt aber möchte ich sagen, daß ich das alles positiv empfinde.

Man muß die vielen Angebote filtern. Habe ich anfangs die FAZ oder «Die Zeit» von vorn bis hinten gelesen, so lese ich jetzt höchstens zwei oder drei Artikel.

Die berufliche Situation steht bei mir unter dem gleichen Fragezeichen wie bei anderen auch. Wobei ich glaube, daß Wissenschaftler besonders betroffen sind. Leute über vierzig, die jetzt auf die Straße fliegen, haben überhaupt keine Chance mehr. Da ist es gut, wenn man bereits Leistung gezeigt hat.

Ich bin geschieden und habe eine Tochter, zu der ich eine starke Bindung empfinde. Es kann mir nun passieren, daß ich nicht in Berlin bleiben kann, sondern mich irgendwo in Westdeutschland bewerben und dort leben muß. Ich würde dann versuchen, meine Berliner Wohnung zu behalten.

Man kann nicht alle persönlichen Probleme auf die Zeit schieben. Teilweise gibt es aber doch Einflüsse. Zum Beispiel ist der Zuwachs an Verkehrsunfällen psychologisch bedingt. Es kracht und splittert allerorts. Man sieht die Wracks stehen. Die Leute sind wie außer Rand und Band, wie im Rausch. Auch im Konsumrausch. Es werden Tausende abgehoben und Autos gekauft.

Meine Eltern waren Gesellschaftswissenschaftler. Wir waren vier Kinder, eine intakte Familie. In der letzten Zeit, vor dem Tod meines Vaters, war meine Mutter beruflich erfolgreicher. Sie wurde die unmittelbare Vorgesetzte meines Vaters, was er schwer ertragen hat, besonders das schulterklopfende Mitleid. Kann sein, daß er es eine Zeitlang an mich weitergegeben hat. Wir hatten regelrechten Krieg miteinander. Mein Vater war jähzornig, ehrgeizig und schnell beleidigt. In dem Arbeitsbereich waren Intrigen und Denunziationen an der Tagesordnung. In der Stalinzeit ging das bis zu Gefängnisstrafen. Leute wurden angeschwärzt, Thesen wurden vernichtet, indem man behauptete, sie seien nicht auf Linie. Damit wurde derjenige, der sie vertrat, unmöglich. Meine Eltern waren zum Glück nicht in diesem Kernbereich, wo alles reine Ideologie war und in dem man nicht hätte sein können, ohne als Mensch total beschädigt zu werden. Meine Eltern waren menschlich integer.

Mein Vater stammte aus einer jüdischen Kleinbürgerfamilie, und schon sein Vater war durch die historischen Ereignisse geschädigt. Erst wirtschaftlicher Abstieg in der Weltwirtschaftskrise, später die Diskriminierung. Er war ein typischer jüdischer Händler, nicht besonders erfolgreich. Mein Vater machte eine Schneiderlehre. Emigriert sind sie 1938. Sie kamen nach Shanghai und haben sich durch allerlei Hilfsarbeiten über Wasser gehalten. Nachdem er zurück war, 1947, hat mein Vater an der Arbeiter- und-Bauern-Fakultät Abitur gemacht.

Meine Eltern haben als Studenten geheiratet. Ich war das erste Kind. Ich bin ein paarmal verprügelt worden, sicher zu oft für ein gebildetes Klima, aber ich kann nicht sagen, ich hätte eine harte Jugend gehabt. Ich war jähzornig. Jähzorn kann auch hilfreich sein. Ja, ich bin ehrgeizig. Und mein Ehrgeiz hat auch was mit Haß zu tun, das würde ich zugeben. Meine wissenschaftliche Arbeit mache ich eigentlich gerne, aber zeitweilig war sie mir eine Qual. Wenn sich jahrelang dasselbe abspielte, nur ein langsames Fortkommen zu verzeichnen war. Jetzt, in letzter Zeit, hat es mich in die Politik verschlagen, und da merke ich zunehmend, was mir die Mathematik wert ist, daß ich dahin unbedingt zurück möchte. Man hat zwar in der Politik mehr soziale Kontakte, aber das ist ein sehr hartes Geschäft. Es ist auch ein sehr einseitiges Metier. Es gibt natürlich Leute, die viel mehr drinstehen als ich. Wie es Fachidioten gibt, sind da die Politikidioten.

Ich bin während der Wahl im Ausland gewesen, und auf einmal

war ich gewählt, Mitglied der Stadtverordnetenversammlung. Teilweise macht es mir Spaß, und manchmal habe ich es satt, es ist eigenartig gemischt. Ich bin als Politiker nicht begabt. Ich kann nicht gut reden, habe keine Ausstrahlung. Nur durch zähe, verbissene Arbeit könnte ich was erreichen, durch Kenntnis von Gesetzestexten, Kenntnis politischer Kniffe. Damit könnte ich es vielleicht schaffen. Aber so etwas habe ich schon einmal hinter mir, und da finde ich die Mathematik besser. Ein Vollblutpolitiker werde ich sowieso nicht. So ergibt sich die Situation, daß ich in den meisten Sitzungen nichts sage, weil es um Dinge geht, von denen ich keine Ahnung habe. Bauwesen zum Beispiel oder Wohnungswirtschaft, der ganze kommunale Schmus. Ich bin angetreten, um große Politik zu machen oder wenigstens Wissenschaftspolitik. Da kann ich mitreden. Auf letzteres versuche ich mich zu spezialisieren. Das zählt zwar nicht viel bei den anderen, weil es nicht viel mit Macht zu tun hat, und sie selbst sind vor allen Dingen an Macht interessiert. Hier bei uns geht es erst mal um das Elementare. Die Mieterhöhungen sind noch gebremst, aus wahltaktischen Gründen. Man kann nicht alles auf einmal wie einen Schock auf die Leute loslassen. Da muß dann der Bund ran. Dafür wird ja die deutsche Einheit schnell gemacht, damit dann die Bundesbürger zahlen müssen. Man kann den Ostteil Deutschlands nicht total verkommen lassen, und drüben herrscht der Wohlstand. Manchmal gibt es unter uns auch Mißstimmung, wenn man versucht, uns vom Westen zu vereinnahmen oder zu mißachten. Die Bevormundung ist eines der Kernprobleme, auch in der SPD. Dagegen wehrt man sich entschieden, wie sich jeder dagegen wehren würde. Man trifft auch auf viel Verständnis, und es ist durchaus ein Aufeinanderzugehen und ein Sichkennenlernen, wobei wir natürlich am kürzeren Hebel sitzen. Aber gemessen an der Gesamtsituation geben wir gar keine so schlechte Figur ab. Nein, wir bekommen keine Befehle. Das geht schon deshalb nicht, weil die SPD drüben völlig uneinig ist. Da ist der Lafontaine als Kanzlerkandidat, der in der Partei sehr umstritten ist, und dann gibt es alle möglichen anderen, die den überhaupt nicht riechen können und die selber Ambitionen haben. Also auf keinen Fall ist das eine Befehlszentrale.

Teilweise habe ich es satt, teilweise bin ich süchtig. Man kann politiksüchtig werden. Weil es etwas mit Kampf zu tun hat, mit Gemeinschaft. Die Arbeit ist einerseits oberflächlich, andererseits hat man ein Gefühl von Wichtigkeit, das man als Mathematiker nicht hat.

Nein, über Intimes möchte ich nicht sprechen. Ich habe bei solcher Protokolliteratur schon Leute erkannt. Manchmal gehen Beziehungen zu Ende, da muß man durch. Mehr kann man dazu nicht sagen. Vielleicht fliehen andere in die Politik aus festgefahrenen konventionellen Familien oder Ehen, die scheinbar wohlgeordnet sind, aber wenig Anregungen bieten. Und die sind dann bereit, stundenlang Sitzungen zu machen, und haben kein Bedürfnis, nach Hause zu gehen. Ich glaube, das ist auch ein Grund, warum Sitzungen so lange dauern.

Ich arbeite im Wissenschaftsausschuß. Mein Ziel ist es, die alten SED-Strukturen zu zerschlagen. Weil sie von Übel sind, weil sie das totalitäre System noch im kleinen verkörpern.

Du fragst jetzt tendenziös. Das ist jetzt so die beliebte Argumentation: die nämlich nun den Haß als solchen bei den Gegnern anprangert, nachdem er vierzig Jahre lang systemimmanent war, das ganze System getragen und gestützt hat. Nein, das kann ich nicht so unmittelbar auf den engeren Kollegenkreis beziehen, weil ich meinerseits keinen Haß auf diese Leute empfinde. Mir ist es ja da nicht schlechtgegangen, das gebe ich zu. Ich war ja auch mit Leuten befreundet, vielleicht bin ich es immer noch, die wirklich überzeugte SED-Mitglieder sind oder es zumindest waren. Meine Schwester, meine Eltern waren alle überzeugte Kommunisten. Das kann man bei der historischen Erfahrung meines Vaters sogar verstehen. Und die erste Zeit in der FDJ. Alles im Sinne eines Mythos. Bei aller kritischen Sicht, die sie in Einzelfragen hatten, und bei aller Liberalität in ihren Auffassungen haben sie doch bis zuletzt treu zum System gestanden. Aus solch einer Familie komme ich. Deshalb ist es mir gar nicht möglich, jedes SED-Mitglied wie einen Aussätzigen zu betrachten.

Es ist richtig, daß ich vorher nicht zu Dissidenten- oder Oppositionskreisen gehört habe. Im Gegensatz zu den Gründungsleuten der SPD. Aber im Gegensatz zu den Leuten, die du jetzt meinst, die aus der SED heraus etwas versucht haben, kann ich mir zugute halten, daß mein Ansatzpunkt viel radikaler war. Daß es deshalb für mich viel schwerer war, etwas zu tun. Das waren ganz andere Voraussetzungen als bei mir, der ich mich immer in Fundamental-opposition befand. Das hätte schon damals die politische Lauf-bahn bedeutet, und dazu bin ich nicht der Typ. Einige haben das ja getan. Manche waren durch die Kirche gedeckt, andere nicht. Das entsprach jedenfalls meiner Art nicht.

Der Einstieg war für mich der Wahlkampf. Im Herbst, als ich in den USA war, wurde auf einmal dieses langweilige Land jeden Tag zur Spitzenmeldung. Das war sehr merkwürdig. Ich wurde von so vielen Leuten befragt, daß ich mir wie eine Art inoffizieller Bot-schafter vorkam. Endlich geschah das, worauf ich jahrzehntelang gehofft hatte. Ich überlegte schon dort, welcher Bewegung ich mich anschließen sollte. Das war ja alles ziemlich chaotisch. Ich habe dann immer mehr zur SDP, wie sie damals noch hieß, ten-diert. Weil das Sozialdemokratie war, da war es von vornherein klar, was die wollten. Da konnte man anknüpfen an große Tradi-tionen und an die große Partei in Westdeutschland.

Ich wollte auf jeden Fall irgendwo mitmachen, weil ich einen Nachholbedarf in politischer Betätigung hatte und weil ich mich bis dahin immer unterdrückt gefühlt hatte durch die SED, auch durch die Leute in meiner Umgebung. Weil sie vorgaben, stets alles besser zu wissen, für alles eine Erklärung zu haben. Sie bere-deten das im internen Zirkel. Sie redeten auch über uns, das wuß-ten wir ja. Sie bestimmten, was passierte, stimmten das unterein-ander ab, waren uns gegenüber wohlwollend gesinnt, aber pater-nalistisch. Ich hatte immer eine Wut deswegen. Denn die waren in keiner Weise berechtigt, sich besser zu fühlen oder Vorrechte zu haben. Das war völliger Durchschnitt. Zum größeren Teil habe ich sie, was das intellektuelle Niveau anbelangt, als deutlich unter mir stehend empfunden, mit Ausnahmen natürlich. Überall dieser Anspruch. Und bei manchen war er besonders penetrant. Die ganze Atmosphäre, das Kommandieren und Schurigeln. Man mußte «gesellschaftliche Arbeit» leisten. Ich muß zugeben, an der

Uni war es viel schlimmer, an der Akademie dagegen vergleichsweise zahm. Schlimm war diese FDJ-Atmosphäre an der Universität, wo die Funktionärstypen das Sagen hatten und andere terrorisierten. Nur Angepaßte wurden Forschungsstudenten. Ja, gewiß, ich hatte Glück. Aber allein die Tatsache, daß ich Glück haben mußte. Ich hatte mehrmals ganz schönes Glück. Ich kam in eine relativ gute Gruppe, wo mir die Möglichkeit gegeben wurde, mich fachlich zu entwickeln. Wo ich meine Chancen bekam und wo versucht wurde, eine wissenschaftliche Schule zu schaffen. Aber es hätte genauso anders kommen können.

Trotzdem hat mich das an der Uni nachhaltig geprägt. Diese Schicht von Funktionären, die meist älter waren als ich, die teilweise sogar fachlich gut waren, aber mit diesem kaltschnäuzigen Funktionärston mit den anderen redeten. Das hat sich nachhaltig in mir festgesetzt. Und daher kommt auch ein Teil des Hasses in mir, der immer wieder aufkam, wenn sich einzelne so aufspielten, sowohl im engeren Kollegenkreis wie auch bei denen, die als Führungskräfte im größeren Maßstab auftraten. Ich kann es nicht nur auf meine Person beziehen oder als persönliche Beleidigung ansehen. Es wurden ja alle herablassend behandelt. Die Herablassung war im System eingebaut.

Wenn ich in die Politik gegangen bin, dann mit dem Vorsatz, für die freiheitlich demokratische Grundordnung zu kämpfen, so wie sie in der Bundesrepublik besteht. Das war für mich das einzig mögliche Vorbild und die einzig funktionierende Gesellschaft, bei allen ihren Schwächen. Wenn man ihre Fehler aufzählen würde, hätte man ein Leben lang damit zu tun. Natürlich trauen sich Leute schon wieder nicht aufzumucken, weil sie um ihren Job fürchten. Das sind die Negativerscheinungen, gegen die man angehen muß. Rauschgift, Kriminalität, der Markt mit all seinem Gebaren, mit seiner Schamlosigkeit, und die Herrschaft des Geldes, die Trivialkultur usw. Trotzdem ist es völlig klar, daß es die einzige Möglichkeit ist. Das ist die Basis für Weiteres, wenn man politisch etwas erreichen will. Es gibt ja auch das Positive, also Demokratie, Rechtsstaatlichkeit, das sind für mich keine hohlen Phrasen. Man schämt sich zwar schon fast, so etwas in den Mund zu nehmen, weil man hohes Pathos fürchtet. Aber warum soll man sich wegen so etwas schämen? Das ist auch unsere jahrzehntelange Indoktrination, weil sofort mit den Worten Bundesrepublik oder CDU «Schwarzbonn» assoziiert wird. Man konnte sicher sein, wenn man nur ein solches Argument in einer entsprechend bewußten Runde brachte, daß es ein allgemeines ablehnendes Buh gab. Ich muß zugeben, daß ich eine gewisse Affinität zur CDU habe, aber ich bin nicht christlich. Wenn eine Partei sich so nennt, bekennt sie sich zu den Grundwerten der christlichen Ethik, und die teile ich nicht vorbehaltlos. Ich bin nicht konservativ. Das ist eben die Klischeevorstellung: Wenn man radikal gegen totalitäre Strukturen ist, dann ist man automatisch ein Schwarzer.

Im Wahlkampf habe ich versucht nachzuholen, was ich im Herbst nicht machen konnte, weil ich nicht hier war. Endlich mal aktiv sein. Weil ich als politischer Mensch aufgewachsen bin, und daß heißt auch, irgend etwas tun. Ich habe mich in Trivialaktionen an der Basis gestürzt, monatelang. Plakate kleben, Zeitungen verkaufen, Straßendebatten mit den SED-Leuten in der Stasi-Gegend, wo ich wohne, die schnell ins Primitive abglitten. Die Spitze der PDS war sehr reformfreudig, sehr aufgeklärt, sehr intellektuell, mit viel Witz. Und unten an der Basis war nach wie vor der alte stalinistische Haufen, Leute, die gar nicht die Voraussetzungen hatten, etwas zu begreifen. Ich muß allerdings ehrlicherweise sagen, es gab auch PDS-Basisgruppen, die eine neue Färbung hatten. Jetzt im Parlament versuchen sie doch, eine parlamentarische und demokratische Partei zu sein. Sie geben sich jedenfalls Mühe. Die PDS hat aber gar keine Inhalte. Das ist ein Traditionsverein. Sie halten sich an dem Wort «links» fest wie an einem Strohhalm und haben damit sogar einen gewissen Erfolg. Links ist eine Art Religion auch unter vielen Jugendlichen, zum Beispiel aus dem Prenzlauer-Berg-Milieu. Und die treten in die PDS ein. Es gibt noch immer alte Stalinisten unter den Abgeordneten. Wie die aussehen und auftreten, das sieht man sofort. Vom Typ her vollkommen klar. Geprägt in internen Kämpfen. Mit einer gewissen Redegewandtheit.

In der Mathematik herrscht die Vernunft. In der Politik herrscht das Chaos, mindestens ist es ein sehr starkes Element. Ich habe mich nur aus Pflichtgefühl aufstellen lassen, weil händeringend Kandidaten gesucht wurden. Mit dem Gefühl, na gut, lasse ich mich aufstellen, gewählt werde ich sowieso nicht. Und durch irgendeinen komischen Zufall bin ich gewählt worden.

5. Juli 1990

Ein ganz normaler Junge

Seit Sie vor der Jugendweihe bei uns waren, hat sich in unserer Klasse viel verändert. Es ist jetzt ziemlich schwierig. Unsere Klasse hat eine Disko veranstaltet. Da kamen welche aus der anderen Schule, die älter waren und mit denen man schon schlechte Erfahrung hatte. Aus Angst haben wir die DDR-Fahne abgemacht. Und von da an ging es abwärts. Dem größten Teil der Schüler ist alles egal. Zwei oder drei Leute, die wissen nicht genau, wo sie hingehören, ob nach ganz rechts oder ganz links. Die probieren nun erst mal alles aus.

Mich ärgert am meisten, daß die Leute so schnell ihre Meinung ändern. Mein Vater zum Beispiel. Erst war er in der SED. Dann ist er ausgetreten. Dann war er noch für die PDS, ist aber nicht wieder eingetreten. Und nach der Wahl ging's auch mit ihm abwärts. Manchmal hat er sich schon wie ein Großkapitalist benommen. Hat angefangen, die «Süddeutsche Zeitung» zu lesen. Und wollte sich auf einmal auf schön trimmen, wollte sich wegmachen lassen, was er so im Gesicht hatte. Wollte sich einen schwarzen Anzug kaufen. Im Innersten ist er schon noch links, aber er hat sich eben angepaßt. Ich fühle mich im Stich gelassen. Andererseits verstehe ich es auch. Er hat Angst um seinen Arbeitsplatz. Schließlich muß er uns ernähren, wenn Mutti jetzt arbeitslos wird.

Ich würde gern Koch oder Regisseur. Als Regisseur würde ich sozialkritische Filme machen. Aber Koch wäre auch ganz gut. Ich kann die Sauce hollandaise schon besser als mein Bruder. Da gehört kein Mehl rein.

Die Leute, die damals die Revolution gemacht haben, die Bürgerbewegungen wie Bündnis 90, Demokratischer Aufbruch, die wollten sicher das Richtige. In Leipzig, da haben sie noch gerufen «Wir sind das Volk». Und der Rainer Eppelmann hat auf dem

Alexanderplatz noch vom demokratischen Sozialismus geredet. Jetzt ist er in die CDU übergegangen. Das ärgert mich. Auch wie sich die Leute in Leipzig geändert haben. Im Herbst hat es mir jedenfalls alles gut gefallen.

Während der Fußballweltmeisterschaft habe ich mit der ganzen Familie dafür gebrüllt, daß Deutschland nicht Weltmeister wird. Ich finde, durch den Weltmeisterschaftsgewinn ist das alles noch viel stärker geworden. Ich habe Angst. Angst, daß es wieder so passieren könnte wie 1933. Es fängt ja genauso an.

Ich würde jetzt, wenn ich schon älter wäre, in eine Partei eintreten, die mehr links ist, in die PDS oder so, und mich da engagieren. In diesem Kapitalismus wird es einigen Leuten bessergehen, den meisten schlechter. Und für die, denen es schlechtergeht, würde ich gerne eintreten. Ich hätte mehr Angst vor einem neutralen Deutschland als vor einem Deutschland in der Nato, weil es da wenigstens noch innerhalb eines Militärbündnisses ist und Verpflichtungen hat, zum Beispiel gegenüber Frankreich, USA usw. Und ich hoffe, die verhindern, daß Deutschland wieder so stark werden könnte und einen Krieg anfängt.

Das Verhalten der Leute macht mir angst. Zum Beispiel ihr Verhalten gegenüber Ausländern. Eigentlich können sie das gar nicht begründen. Die haben nur was gegen die, weil es Ausländer sind. So nach dem Motto, was nehmen die sich heraus, Ausländer zu sein. Vielleicht fühlen sie sich jetzt auf einmal stärker.

Zum Beispiel der eine in meiner Klasse, der macht das vielleicht einfach so als Gegenstück zu seinen Eltern. Sein Vater war bei der Stasi, seine Mutter ist immer noch in der PDS, und er will vielleicht seinen Eltern jetzt Kontra bieten und einfach gegen alles sein. Obwohl ihn die Leute, für die er eigentlich ist, gar nicht akzeptieren. Vor der Wende war der nämlich auch ganz anders.

Unsere Direktorin ist in Rente gegangen. Die Lehrer sind eigentlich normal geblieben. Ich habe keine Vier. Am Anfang dieses Schuljahres hatte ich Tiefstand. Dann habe ich mich nur mal paar Wochen hingesetzt und mich immer auf die nächsten Stunden vorbereitet. Und da bin ich auf einmal bis in den Himmel geschossen. Wenn ich lernen würde, wäre ich auch einer der Besten.

Mein Bruder ist fünf Jahre älter. Seit er selbst Geld verdient, bekomme ich im Monat von ihm zehn Mark Taschengeld. Das finde ich gut von ihm. Seit er ausgezogen ist, verstehe ich mich mit meinem Bruder viel besser. Als seine Freundin kam, fühlte ich mich ein bißchen vernachlässigt.

Eigentlich kann ich andere ganz gut überzeugen. Aber bei uns in der Klasse gibt es zum Beispiel ein Mädchen, mit dem ich mich überhaupt nicht verstehe. Die sitzt hinter mir und fängt immer an, auf mir rumzuhacken. So etwas kann ich nicht leiden. Da raste ich aus und gehe auf die los.

Ich habe noch keine Freundin. Klar hätte ich gern eine. Früher war ich öfter verliebt. Unsere Mädchen haben sich jetzt solche Heftchen angeschafft, da muß jeder reinschreiben, was er so am liebsten tut und wie er sich sein Traummädchen vorstellt. Da habe ich einfach hingeschrieben: normal. Für mich kommt es auf jeden Fall auf den Charakter an. Das Aussehen, na ja. So eine Superschöne ist vielleicht zu eingebildet. Aber dunkle Haare und blaue Augen wären ganz schön.

Die «Junge Welt» ist jetzt ganz gut. Die «taz» gefällt mir. Das «Neue Deutschland» ist mir zu groß, da komme ich nicht zurecht. Wenn ich die Zeitung aufschlage, kann ich mich damit zudecken, aber nicht lesen. Genauso wie bei der «Süddeutschen», da ist vielleicht eine Seite informativ, die anderen sind Klatsch, fünf Seiten sind Sport und der Rest ist Werbung. Und dann wiegt die Zeitung ein Kilo.

Wären die Autonomen gewaltlos, würde ich bei denen mitmachen. Aber Gewalt gefällt mir prinzipiell nicht. Mit den Leuten könnte ich mich solidarisieren. Ich war heute in der Samariterstraße, wo die besetzten Häuser sind. Das sieht sehr schön bunt aus.

Politisch verstehe ich mich eigentlich mit mir selbst am besten.

In der Schule gibt es keine Pioniere, keine FDJ mehr. Die meisten sind jetzt organisationslos. Ein paar rennen mit Cliquen durch die Gegend. Unsere Pionierleiterin macht nichts mehr. Ich würde gern in Antifa oder so eintreten. Aber ich habe Angst. Angst, allein dahinzugehen, wo ich niemanden kenne.

Was vorher war, dazu kann ich nichts sagen. Das kann ich nicht beurteilen, ich war noch zu klein. So richtig wohl gefühlt habe ich mich unter der Regierung Modrow. Da hat man sich auch sicher gefühlt. Wenn ich dann rübergefahren bin, als man konnte, was ich ja nicht schlecht finde, habe ich mich nicht sicher gefühlt. Nicht wegen der Sachen, die man so gehört hatte, und auch nicht, weil ich gedacht hätte, das wären vielleicht alles böse Menschen. Wir waren in der Warschauer Straße, da ist doch gleich dahinter Kreuzberg. Da standen so ein paar Türken, und der eine, der hatte ein Schnappmesser. Und ich gehe gerade an ihm vorbei, läßt der es schnappen und sagt, die ganzen Ostler, wenn die erst ihr Begrüßungsgeld haben, denen nehmen wir es ab.

Ich fahre gern nach drüben ins Kino oder um mir etwas anzusehen. Ich würde auch gern mal in andere Städte fahren. Mal nach Schweden oder Italien.

Eigentlich freue ich mich darüber, daß meine Mutti arbeitslos geworden ist, weil sie krank ist. Wenn sie dann noch arbeiten geht, ist sie abends immer total geschafft. Meine Mutti tut mir schon leid. Aber es ist eben auch schön, wenn man sie so zu Hause weiß. Meine Frau soll später nicht zu Hause bleiben. Ein bißchen emanzipiert müßte sie schon sein, aber nicht so sehr. Unsere Mädchen sind total lahm. Die lesen jetzt immer solche komischen Liebesromane. Schwachsinn.

Schlecht finde ich, wenn man – ich bin ja immerhin schon fünfzehn Jahre – noch behandelt wird wie ein kleines Kind. Daß man nicht wegfahren darf, immer beaufsichtigt wird. Zum Beispiel beim Baden kommt immer einer rein und stört. Na eben das ist schlimm. Ich würde mich wohler fühlen, wenn ich nur Bescheid sagen müßte, aber nicht fragen. Meistens frage ich gar nicht mehr, weil ich die Antwort kenne. Da fahre ich einfach.

Als meine Mutti wegen ihrer Krankheit berentet war, hat mein Vater verboten, daß sie in den Westen fuhr. Er hatte Angst um seinen Arbeitsplatz. Er sollte ja auch bei der Stasi mitmachen. Die kamen zu uns und haben gefragt, und wir haben immer nein gesagt. Deshalb wurde er auch nicht befördert, sondern einer, der keine Ahnung hatte, wurde hochgeschoben. Ich hätte es nicht gut gefunden, wenn er bei der Stasi mitgemacht hätte. Wenn man am

Biertisch sitzt, und da läßt einer seinen Frust ab, und man muß das melden, schmiert vielleicht den eigenen Freund an, das fände ich überhaupt nicht gut. Wenn so einer kam, wurde ich in mein Zimmer geschickt. Die kamen ja nicht oft. Aber einmal hatte ich gerade etwas angestellt in der Schule, ich hatte unter der Treppe gegokelt. Und da kam der und hat seine Marke gezeigt, und ich dachte, der kommt wegen mir. Einmal kam einer, der hat uns über den Nachbarssohn ausgefragt. Was ist denn das für einer? Und da haben meine Eltern gesagt: Das ist ein ganz normaler Junge.

11. Juli 1990

Das kann doch nicht wahr sein

Ich hätte mich nicht auf das Gespräch eingelassen, wenn ich Sie nicht ein bißchen durch die Literatur kennen würde. Speziell durch das, was Sie im letzten halben Jahr geschrieben haben, aber auch früher. Vermittelt durch meine Tochter. Dort sehe ich immer neue Bücher. Mich interessieren vor allem Schriftsteller, die die Jetztzeit abhandeln.

Sie müssen davon ausgehen, unsere Tochter ist die einzige, die wir haben, und das Wertvollste, was wir besitzen. Trotz aller Schwächen, die sie hat. Wir haben sie viel zu sehr beschützt und viel zuwenig dem rauhen Wind des wirklichen Lebens ausgesetzt. Das ist vielleicht auch unserer Situation geschuldet.

Ich hatte manchmal den Eindruck, daß sie sogar einen gewissen Abstand zu Vati und Mutti bekommen hat, die ja beide bei dem verhaßten «Totschlägerministerium» gewesen sind. Ich muß dazu sagen, daß meine Tochter einmal in so einer Kirche war und mit Leuten gesprochen hat, die geschlagen worden waren. Ich muß zu meiner Schande gestehen, daß ich damals gesagt habe: «Das glaube ich nicht, das ist Propaganda. Das kann doch nicht wahr sein.» Das war in der Zeit der Wende. Und meine Tochter hat nun mal den Hang, sich immer auf die Seite der Unterdrückten zu stellen. Ich muß aber auch sagen, daß ich mich gefreut habe, als sie jetzt sagte: «Doch, ich bin noch in der PDS.»

Bei mir ist es vielleicht eine gewisse Trotzhaltung, daß ich sage: trotz alledem. Obwohl jetzt die Beamten der anderen Seite bei uns aus und ein gehen. Wenn mich die Partei nicht mehr vom Denken her braucht, vielleicht braucht sie meinen Parteibeitrag.

Was meine Tochter anbelangt, bitte lassen Sie keinen Zweifel daran, was eine Arbeitsstelle wert ist. Weil ja vielleicht Mama und Papa eines Tages nicht mehr so können.

Wir sind viel unbehüteter aufgewachsen. Mein Vater ist gefallen. Ich bin zur Wismut gegangen und habe unter Tage gearbeitet, damit meine beiden Geschwister Butter bekamen. Ich war Autoschlosser. 1952 war ein strenger Winter, und es gab nichts zu schlossern. Es gab wenig Geld. Da habe ich spontan gekündigt und meine Papiere gefälscht, von siebzehn auf achtzehn Jahre, damit ich bei der Wismut unter Tage arbeiten konnte. Bin damals Kandidat der Partei geworden, über die FDJ und über einen Kollegen, der mich am Amboß als Zuschläger davon überzeugt hat. «Mensch», sagte der, «du bist doch in der FDJ. Warum willste nicht in die Partei eintreten.» Das war damals für mich ein alter Mann. Vielleicht zwischen fünfundfünfzig und sechzig. Habe ich noch mit dem FDJ-Sekretär gesprochen und merkte, daß es Harmonie zwischen beiden gab. Und da bin ich in die Partei eingetreten. Die Leute spielten dabei eine große Rolle. Aber auch das «Mit uns zieht die neue Zeit». Wenn ich vielleicht auf andere Leute gestoßen wäre?

Die FDJ war damals eine Truppe, wo ich die schönste Zeit verbrachte. Wir hatten nicht weit von uns ein FDJ-Heim. Wenn die Mutter fragte: «Wo gehst du hin?», war die Antwort immer: «Ins Heim.» Wunderschöne Fahrten. Weltfestspiele. Deutschlandtreffen. Aber auch Osterwasserholen. Kennen Sie das? Und meine Großmutter hat mich immer gebeten, ihr etwas mitzubringen.

Dann also Wismut. War eine wunderschöne Zeit. Dreischichtsystem. Ich habe meine Mutter finanziell unterstützt. Mit der achten Klasse war bei mir Schluß gewesen. Ich hatte nicht solche Zensuren, daß mein Klassenlehrer zu mir gesagt hätte, ich müßte unbedingt auf die Oberschule gehen. Aber ich war vernarrt in Autos und wollte auch später studieren.

Ich war etwa ein Vierteljahr Schlosser unter Tage und wurde dann in die Erzwäsche nach Johanngeorgenstadt versetzt. Dort wurde das, was wir rausgeholt haben, verfeinert und zu dem gemacht, was dann in Kisten kam und in die Sowjetunion ging, also wirklich das Uranerz. Das Gestein wurde gefördert. Oben gab es große Kugelmühlen, dort wurde das Gestein zerschlagen und über Schüttelherde geleitet und nach dem spezifischen Gewicht getrennt. Uran ist sehr schwer. Vorn stand die sowjetische Armee, da war Gleisanschluß. Und das ging dann ab.

Woher wissen Sie denn das? Natürlich, ich habe heute noch Angst, daß ich damals was abbekommen habe. Wenn wir manchmal nicht die Ausbeute hatten, um die Normerfüllungsprämie zu bekommen, hatten wir jeder so einen Brocken – Uran sieht aus wie Steinkohle, aber es glänzt nicht so –, also da hatte ich so eine halbe Faust in der Hosentasche. Es gab da eine kleine Russin, die ging immer die Kisten mit dem Geigerzähler ab, die Deckel waren noch geöffnet, und an ihrem Gesicht sahen wir schon, daß sie mit uns nicht zufrieden war. Da haben wir die körnige Masse etwas beiseite geschoben, den Stein reingedrückt und alles wieder glatt gemacht. Kam die mit ihrem Geigerzähler, war alles in Ordnung. Ehe die «Freunde» kamen, haben wir den Stein wieder rausgenommen.

Dann das Studium. Ich hatte mich bei der Arbeiter-und-Bauern-Fakultät der Technischen Hochschule Dresden beworben. Kam ein Schreiben: Ja, aber Delegierung vom Betrieb muß sein. Habe mich angemeldet. Rein, in meinen Arbeitsklamotten. Werde ich nie vergessen. Wunderschönes Zimmer mit großem Teppich. Dort stand eine Dolmetscherin. Waren ja alles «Freunde». Er fragte: «Sie sind Arbeiter? Warum wollen sie dann Bauen studieren?» Ich sagte, daß ich noch nicht mal «Matura» hatte, und habe versucht, ihm zu erklären, was das ist. Schließlich sagte er: «Einverstanden.» Bekam ich von der Wismut noch dreißig Mark Sonderstipendium. Und 180 Mark sonst.

Nach dem zweiten Jahr mußten wir die Verpflichtung abgeben, daß wir zur Kasernierten Volkspolizei gehen. Offiziersschule. Deshalb habe ich da kein Abitur gemacht. Dazu brauchte man drei Jahre. Und ich bin nach dem zweiten Jahr weg. Ich kann ehrlichen Herzens sagen, nicht aus Leistungsgründen. Ich war nicht der Beste, aber überhaupt nicht der Schlechteste. Ob Sie es glauben oder nicht, ich bin von meinem tiefsten Inneren heraus kein Soldat. Ich konnte mir nicht vorstellen, daß ich mein ganzes weiteres Leben als Offizier verbringen sollte. Ich war aber inzwischen in der Partei. Der damalige Direktor der ABF, der mit mir gesprochen hatte, den haben wir ein paar Tage später verdammt bis zum Gehtnichtmehr, weil er die Republik verlassen hat. War schlimm. Viel später, bei der Staatssicherheit, hingen an unseren Aufgängen Bilder von ehemaligen Kundschaftern an der unsichtbaren Front. Einmal, es hingen neue Bilder, ich war schon vorbei, plötzlich denke ich, Moment mal, gucke, und da hängt das Bild von dem da. Ich denke, mich trifft der Schlag. Habe ich meinen General gesprochen. Der war nämlich, bevor er hier in Berlin tätig war, stellvertretender Leiter der Bezirksverwaltung der Staatssicherheit. «Sag mal, das kann doch nicht wahr sein.» Wenn wir unter uns waren, haben wir uns geduzt. «Ja», sagte der, «hast du das nicht gewußt?»

Nur als Erlebnis am Rande.

Damals habe ich mir also gesagt, ich will nicht dastehen als einer, dem die Republik nichts wert ist, was den militärischen Schutz betrifft. Und ich habe mich treu und redlich zur Armee verpflichtet. Für zwei Jahre. Wenn Sie das jetzt selber sagen, ja, ganz uninteressant war mein Leben bisher eigentlich nicht. Bei der KVP war ich bei der Kraftfahrereinheit. Es gibt bei den Soldaten die drei goldenen «Ks»: Küche, Kraftfahrer, Kader. Da habe ich eigentlich nichts ausstehen müssen. Ich war der Fahrer von einem Versorgungs-Lkw.

Ich mußte jetzt daran denken, unsere Kaserne war in Sachsenhausen. Das Objekt hieß Oranienburg-Sachsenhausen. Wo das KZ war. Ich habe tatsächlich noch die Berge von Schuhen, auch von Kinderschuhen gesehen. Damals gab es noch keine Gedenkstätte dort, das Zeug lag da rum. Und jetzt habe ich gelesen, daß es da noch einmal ein Lager gab, bis in die fünfziger Jahre. Manchmal habe ich mich da gefürchtet, wenn es so raschelte – ein unheimlicher Ort. Ich war von fünfundfünfzig bis sechsundfünfzig dort, habe den Übergang von der Kasernierten Volkspolizei zur Nationalen Volksarmee mitgemacht.

Dann habe ich meine Bewerbung für die Ingenieurschule in Zwickau geschrieben. Kraftfahrzeugbau.

Nein, verheiratet waren wir noch nicht. Wir kannten uns seit der ABF. Bei der KVP hatte ich ein anderes hübsches Mädchen kennengelernt. Das habe ich bitter bereut. Den ersten Schritt zum Wiederzusammentun hat allerdings meine Frau gemacht. Da danke ich ihr heute noch für. Ich hätte keine bessere gefunden, bis heute nicht. Sie hat viel getragen. Hat mich verwöhnt. Meine frischen Hemden liegen da, und meine Hosen sind gebügelt. Jetzt sagt meine Frau manchmal, daß sie weiß, was sie für Fehler gemacht hat bei mir. Aber es gibt vielleicht auch Dinge, wo ich ihr unter die Arme gegriffen habe. Moralisch.

Drei Jahre studiert, geheiratet, und in der Zeit, 1960, wurde auch meine Tochter geboren. Ich weiß bis heute, was es heißt, mit wenig Geld auszukommen. Deswegen gab es beim Studium vielleicht auch eine gewisse Auslese. Es haben nur die mit Idealismus studiert. Ja, meine Kaderakte war picobello: keine Westverwandtschaft, Arbeiterkind, Wismut, in sehr jungen Jahren Parteimitglied – eigentlich bis jetzt, bloß jetzt paßt sie nicht mehr so richtig. Jetzt – abserviert.

Damals habe ich versucht, eine Stelle in K. zu bekommen. In einem mittleren Betrieb als Technologe angefangen. Später Leiter der Abteilung Technologie. Ich habe ganz wenig Stärken, bestimmt. Aber eine meiner Stärken war, ich konnte ein bißchen mit Menschen umgehen. Und ich bin in der Regel zu gutmütig. Ich habe eigentlich nie jemanden weh getan. Mir hat die Arbeit Spaß gemacht. Aber dann dachte ich: Mensch, wenn es das schon gewesen sein sollte. Ich habe mich dann mal für wissenschaftlich arbeitende Institute interessiert, habe mich beim Zentralinstitut für Fertigungstechnik beworben und wurde angenommen. Ich war dort bis neunundsechzig. Ist eine schöne Zeit gewesen. Auch ein paar Auslandsreisen. Sehr davon überzeugt, daß unser Weg der richtige ist. Engagiert, auch gesellschaftlich. Viele Kontakte gehabt. Nette Menschen kennengelernt.

Und eines Tages – ich hatte gerade den Vorbereitungskurs für ein Fernstudium an der TU begonnen – sagt mein Kaderleiter vom Institut, den ich sehr geschätzt habe: «Zu dir kommt mal jemand in die Wohnung. Es geht um Berlin.» Ich dachte, es handelte sich um den Volkswirtschaftsrat, da wurde gerade eine neue Gruppe gebildet. Und als der «Herr» bei uns im Wohnzimmer saß und offenbarte, um was es ging, habe ich gesagt: «Zeigen Sie bitte mal Ihren Ausweis.» Weil ich erst dachte, ich werde auf die Schippe genommen, und das wurde mir dann zu ernst.

Wir hatten uns schon mit dem Gedanken beschäftigt, vielleicht mal nach Berlin zu gehen, und die Arbeit wurde mir als eine sehr interessante dargestellt. Der «Herr» war dann hier in Berlin mein General. Ich schätze ihn auch heute noch, obwohl er sich in einem Anfall geistiger Umnachtung schwer verletzt hat. Er soll inzwischen wieder zu Hause sein. Es ist aber heute problematisch, sich in einem größeren Kreis nach dem Befinden eines Stasi-Generals zu erkundigen. Da muß man genau wissen, wer mit am Tisch sitzt. Sonst könnte das schon anrüchig sein.

Das war ein Mensch – wenn der sich etwas vorgestellt hatte, dann setzte er das durch. Der wirkte auf Menschen. Ich habe einmal ein Ehepaar geworben für unser Organ (das war jetzt nicht gut, ich habe gesagt für unser Organ, und das gibt es gar nicht mehr. Ich bin noch ein Alt-Tschekist), die haben mir das auch bestätigt.

Ich habe mir damals eine Woche Bedenkzeit ausgebeten. Weit hinten rangierte die Frage «Verdienst». Weil ich nicht einer bin, der da große Ideen hatte. Aber es wurde gesagt: «Eine sehr interessante Arbeit.» Ich habe die Frage gestellt: «Muß ich eine Uniform tragen?» Für mich als Uniformgegner war die Frage wichtig. «Ja, ab und zu, aber es ist eine schöne Uniform. Nicht die geschlossene, sondern die mit Schlips und Kragen.»

Ja gesagt. Im September neunundsechzig angefangen und das im Prinzip keine Minute bereut.

Ich hatte die Aufgabe, und nun spreche ich im absoluten Klartext, die Arbeit an den Grenzübergangsstellen so zu organisieren, daß das sehr schnell und reibungslos ging. Für den Reisenden. Und so, daß andererseits die Sicherheitsinteressen des Staates durchgesetzt wurden. Natürlich wurde gefahndet. Ich bin 1970 zum Abteilungsleiter berufen worden und dies bis zur Auflösung geblieben. Da oblag mir auch die prinzipielle Gestaltung der Grenzübergangsstellen, auch die bauliche Gestaltung. Wenn Sie sich erinnern – die kleinen Häuschen.

Nein, Computer nicht. Der Name des Reisenden wurde mit Fernsehen in den zentralen Raum übertragen. Dort wurde gefahndet, an Hand einer sehr großen Kartei. Man hatte allgemein eine höhere Meinung von uns, was Computer und Ausrüstung anbelangt. Da waren wir erst kurz vor der Wende soweit. Das oblag mir.

Ich will jetzt keine Ehre retten, bloß eins steht fest, zu irgend jemanden muß die Paßkontrolle gehören. Es gibt viele Staaten, wo die Paßkontrolle zum Ministerium des Inneren gehört. Bei den «Freunden» und bei uns gehörte sie zur Staatssicherheit. Das ist nämlich zu berücksichtigen, wenn man sagt, die Staatssicherheit ist zigtausend Mann stark: Da sind viele Tausende Paßkontrolleure dabei. Die auch, wie ich immer sagte, ein bißchen im Auftrag des Ministeriums für Auswärtige Angelegenheiten Visa erteilt haben.

Wenn Sie mich fragen, wann ich zum erstenmal in Widerspruch geraten bin, so weiß ich das nicht auf den Tag oder den Monat. Das hängt mit Parteitagen zusammen. Mitte der siebziger Jahre haben wir gesagt, wie das bis jetzt so gelaufen ist, das ist ja ganz gut und schön, aber weiter so laufen kann das nicht. Und nicht nur ich habe das so gesehen. Das sind immer auch Gespräche in Parteiversammlungen gewesen. Sie dürfen sich das wirklich nicht so vorstellen, daß es da bloß ein Anbeten von Götzen gegeben hat. Es gab Parteiversammlungen, wo wir mehr aus uns herausgegangen sind. Wenn der ganz große Chef nicht da war. Da ging ja schon das Problem los. Wir hatten im Parteilehrjahr eine so offene schöpferische Diskussion, daß wir manchmal gesagt haben, jetzt müssen wir aufhören, jetzt begeben wir uns auf das Glatteis der Konterrevolution.

Ich bin in Zahlen vernarrt. Und ich habe mir das statistische Jahrbuch gekauft. Manchmal habe ich Rechnungen angestellt, Zuwachsraten von Produktion. Und ich habe mir sehr lange eingeredet, daß die Steigerungsraten des sozialistischen Lagers höher sind als die des Kapitalismus. Kennen Sie. Und daraus konnte man ja ausrechnen, wann sich die beiden, Sozialismus und Kapitalismus, mal treffen. Das war das Jahr 2000. Und das wurde an gewissen Kennziffern bewiesen. Zum Beispiel: Jetzt hat die Sowjetunion die Vereinigten Staaten in der Stahlproduktion eingeholt. Da dachten wir dann: Mensch, ob das im Plastezeitalter noch richtig ist, diese

Kennziffer zu bringen. Und so haben wir uns immer wieder gefragt: Ist das gut?

Wir wurden natürlich auch immer wieder stutzig auf Grund unserer internen Kenntnis der Probleme unserer Wirtschaft und der Gesellschaft schlechthin. Wir haben Namen in den Fahndungsunterlagen gesehen von Leuten, die in Ausreisesperre lagen, das waren Kinder von bekannten Persönlichkeiten. Wenn die zum Beispiel in die ČSSR gewollt hätten, dann hätte man sie zurückweisen müssen. Da haben wir uns gewundert, was da los ist.

Und so reihte sich Steinchen an Steinchen. Wir haben auch gesehen, wie das ständige Besserleben wirklich aussieht. Meine Mutter hätte als Rentnerin nicht den Lebensstandard, wenn sie nicht einen Sohn hätte, der ihr die Miete bezahlt. Und dann natürlich die schlimme Hauptabteilung XX, die auch für Sie mit zuständig war. XX 4 war zum Beispiel die Kirche, präziser formuliert: religiöse Einrichtungen usw. Solche Abteilungen gab es natürlich auch für Sport usw. Wenn man sich da mit Leuten unterhalten hat, so war das nicht mehr die Hohe Schule der Geheimdienstarbeit, also beim Gegner eindringen und seine Pläne erkunden. Aber so massiv nach innen wirken, das war schon penetrant. Da muß ja was faul sein, wenn man das nötig hat.

Aber einige, die sich heute aufspielen... wenn man böse wäre! Es gehört heute Mut dazu, so zu sprechen wie ich. Aber es gehört auch Mut dazu, sich jetzt so hinzustellen und sich aufzuplustern, als hätte man nie dazu Kontakt gehabt. Ausspucken möchte ich vor mir nicht. Ich kenne einige, die würden heute lynchen. Wenn es denen damals vergönnt gewesen wäre, so eine Entwicklung zu nehmen, die hätten sie auch genommen.

Soll alles keine Rechtfertigung sein. Vieles war nicht in Ordnung. Der Unterschied zwischen Schein und Sein wurde immer größer. Zwischen dem, was im «Neuen Deutschland» stand, und wie die Lage wirklich war. Wir haben genauso über das «Sputnik»-Verbot geschimpft wie die anderen auch. Bei der ersten geheimen Wahl der Parteitagsdelegierten haben die kritischen Leute die meisten Stimmen gekriegt.

Und dann haben wir natürlich erlebt, um welche unwichtigen

Details sich unser oberster Kriegsherr E. H. gekümmert hat. Da gab es Direktiven für relativ unwichtige kontinuierliche Verhandlungen mit der anderen Seite, die mußten zu ihm auf den Tisch. Und als ich das einmal angezweifelt habe, da wurde mir gezeigt: «Einverstanden. E. H.» Da habe ich gesagt, ich habe immer mehr Hochachtung vor dem Mann, mit welchem Krümelkäse der sich beschäftigt. Das kann doch nicht wahr sein. Weil wir ja wußten, daß ganz andere Probleme brannten.

Im Herbst haben viele von uns den Auftritt von Schabowski, mit diesem Zettelchen, auf dem stand, die Grenzen sind offen, als den Staatsstreich empfunden. Wir fragen uns auch, wer mag eigentlich dahinter gestanden haben. Ich weiß das nicht. Ich habe es zwar gesehen, aber nicht so genau. Da wurde ihm doch der Zettel durchgegeben. Ich glaube nicht, daß Schabowski das selbst gewollt hat. Und wenn wirklich, dann wäre wieder mal bewiesen, wie wenig man gewußt hat, was eigentlich im Volk los ist. Man hätte doch wissen müssen, daß mit der Verkündung ein Druck auf die Grenzen losgeht, dem man nicht mehr standhalten kann. Und das hat sich ja ein paar Stunden später bestätigt. Wieder schließen, daß kann ich aus meiner Arbeit heraus sagen, stand nie zur Diskussion. Nur das immer weitere Öffnen von Löchern.

Und was mich noch sehr getroffen hat, wo ich mich zu Tode geschämt habe, das war das Auftreten von Mielke. Daß sein Umfeld, seine Vordenker es zugelassen haben, daß dieser alte Mann sich in der Volkskammer so schäbig benehmen kann: Ich liebe euch doch alle! Ich habe es im Original gesehen. Das war solch eine Riesenpleite, wo vieles, auch an guter Arbeit dieses Ministeriums, mit einer Handbewegung weggewischt wurde.

Da haben wir eigentlich alle erst mal gesehen, was das für einer war. Wir sind ja erzogen worden, ihn als Halbgott zu sehen. Und wenn manchmal daran gekratzt wurde, habe ich immer gesagt: Das kann doch nicht wahr sein. Und ich habe bis zuletzt das Alter unserer Garde verteidigt. Das war einer meiner Fehler. Ich habe gesagt: «Leute, bedenkt mal, wie es außenpolitisch wirkt. Ein KZ-Häftling als Staatsoberhaupt. Antifaschisten, die in Spanien im Schützengraben gestanden haben. Da müßt ihr innenpolitisch ein bißchen darüber wegsehen.» Aus heutiger Sicht war das ein großer Fehler. Aber der Genosse Minister war für uns ein Halbgott. Andererseits wurde gesagt, wenn wir auf etwas gewartet haben, auf Dinge, die nur er entscheiden konnte, ihr wißt doch genau, in seiner Unterschriftenmappe dürfen nur zehn Vorgänge pro Tag liegen. Vielleicht war es auch ein bißchen Imagepflege, wenn von ihm gesagt wurde, er geht jeden zweiten Tag schwimmen. Und vieles andere mehr. Er hatte sich ja auch abgeschottet.

Das ist nun alles Geschichte. Alles vorbei. Jetzt müssen wir erst mal zwanzig Jahre auf Kapitalismus machen. Vielleicht bricht die Umweltkatastrophe und alles so über uns herein, daß die großen Banken erkennen, der Profit ist auch nicht mehr das Nonplusultra. Und dann gibt es vielleicht ein paar Linkskräfte mehr. Aber da sind wir schon nicht mehr da.

16. Juli 1990

Am Anfang war Erziehung

Ich bin ziemlich einfach strukturiert. Das Angebot habe ich angenommen, weil ich Sie kenne und Vertrauen zu Ihnen habe. Wenn ich danebenhaue, dann bleibt es unter uns, da habe ich keine Befürchtungen. Und es hat natürlich ganz egoistische Gründe. Ich glaube, daß ich Sie auch ein bißchen benutzen kann für die eigene Therapie.

Ich bin dabei, mich zu suchen und zu finden, stöbere in meiner Vergangenheit. Natürlich bin ich mit meinen neununddreißig Jahren typische Wege gelaufen, die viele hier in diesem Lande gegangen sind. Man muß jetzt in der Lage sein, sich selbst Schmerzen zuzufügen. Und ich habe eigentlich die stille Hoffnung, wenn ich nachts wach werde und mich quäle, was schon seit Monaten geht, daß ich durch diese Auseinandersetzung lerne. Ich sage mir dann: Dir wächst Menschlichkeit zu. Ich kann jetzt anderen Menschen viel länger in die Augen schauen, viel besser zuhören. Und ich spüre, wie sich auch andere Menschen nach Güte sehnen. Ich hoffe, toleranter und zugleich kritischer zu werden. Kurz also: nachträglich stärker zu sein.

Ich war zum Schluß Abteilungsleiter im Staatsapparat. Eine ziemlich wichtige Funktion. Die bin ich von heute auf morgen losgeworden, und eigentlich bin ich froh darüber. Ich bilde mir ein, ich war ein guter Leiter. Meine Kollegen bestätigen mir das auch. Das konnte ich aber nur sein, weil ich alles in mich hineingefressen habe. Zwischen meinem Leiter, den Institutionen, bei denen ich immer zu fragen hatte, und mir gab es zu vielen Punkten sehr unterschiedliche Auffassungen, aber auch zu den jüngeren Kolleginnen, die in mein Kollektiv kamen und die knallhart in Kadergesprächen sagten, sie möchten verkürzt arbeiten. Das hat mir natürlich gar nicht gefallen, weil ich genau wußte, was die jungen

Frauen nicht wegschaffen, das habe ich dann zu machen. Sie haben mir aber klipp und klar gesagt, ich bin alt, altmodisch, sie brauchen die Zeit für ihr Kind oder ihre Kinder. Da habe ich gemerkt, daß es doch ganz unterschiedliche Herangehensweisen gab.

Übrigens auch in der Familie. Meine Geschwister, die hatten beide viel früher ein Auto und Datschen, eine völlig andere Lebensweise. Ich bin immer davon ausgegangen, ich habe meine Arbeitskraft der Gesellschaft zur Verfügung zu stellen. Ich vereinfache das jetzt. Aber ich brauchte kein Segelboot, ich wollte nicht segeln. Ich wollte zur Verfügung stehen.

Das Verhältnis zu meinem Vater ist ganz ganz kompliziert, und damit werde ich niemals fertig werden. Niemals. Ich komme aus einer adligen Familie. Mein Vater war faschistischer Offizier. Er war Flieger, das waren besonders schnittige Menschen. So einer war mein Vater auch. Er kam dann fünf Jahre in sowjetische Kriegsgefangenschaft, hat die Häuser um Moskau mit aufgebaut, und kehrte 1949 in die Bundesrepublik zurück. Er hat Kontakt aufgenommen zu Kommunisten. Das hat ihn alles sehr überzeugt. Er bekam das «Kommunistische Manifest» in die Hand. Offensichtlich hat auch die Gefangenschaft bei ihm bewirkt, daß er sich nach einer gesellschaftlichen Alternative umgesehen hat. In seinem Dorf war der alte Bürgermeister der neue Bürgermeister.

Mein Vater hat Kontakt aufgenommen in die DDR. Er wollte als Arbeiter nach Wismut gehen, weil er wußte, daß dort gut verdient wird. Dann sind aber andere Leute auf ihn aufmerksam geworden. Er hat ein Jahr illegal hier gelebt und eine Parteischule der NDPD in Buckow absolviert. Die NDPD war damals ein Sammelbecken für ehemalige Offiziere. Da gab es eine Arbeitsgemeinschaft, der mein Vater angehört hat. Später sind meine Eltern in die DDR übergesiedelt.

In meiner Verwandtschaft sind alle adlig, die haben das natürlich nicht akzeptiert. Und so bin ich groß geworden. Ich kenne keine Tante, keine Oma. Das habe ich alles nicht kennengelernt. Ich fange jetzt erst an, darunter zu leiden, weil ich zum zweitenmal erleben muß, daß meine Familie zerstört wird. Mein Bruder ist im

Oktober mit Familie abgehauen, und ich kann es einfach nicht verwinden. Das ist jetzt Monate her, und ich muß immer darüber nachdenken. Sogar darüber, ob ich nicht nur neidisch bin. Der hat hier in der DDR alles gehabt. Er hat nur fürs Geld gelebt, und wir haben uns auch nie so besonders gut verstanden. Er hatte eine gute Arbeit, eine Frau, die zu ihm paßte, seine Kinder waren in der Schule sehr gut. Eine Datsche, zwei Autos. Also, er hatte hier alles.

Nur einmal ein ganz kleiner Satz, der letzte überhaupt zu mir: Ich möchte auch mal nach Schweden.

Damals habe ich zu ihm gesagt: Noch Geduld, das kommt alles. Diese Geduld hat er nicht gehabt, hat alles stehen- und liegenlassen und ist weg. Zu einem Verwandten, von dem es heißt, daß der noch seine Naziuniform im Schrank hat. Für ihn sind das wohl nicht mal Kompromisse. Ich bin überzeugt, daß er potentieller CDU-Wähler ist. Der Anfang muß sehr schwierig gewesen sein, aber inzwischen hat er in München eine Wohnung und Arbeit. Ihm wird es gutgehen, in kürzester Zeit sogar wesentlich besser als mir. Und das meine ich eben, mit dem Neidisch-Sein: Ich weiß nicht, ob ich ihm das vielleicht nur nicht gönne und deshalb so böse bin. Er macht auf jeden Fall den größeren Schnitt, aber ich glaube nicht, daß er glücklicher wird.

Mein Vater fing damals an, beim Parteivorstand zu arbeiten. Was er da im einzelnen gemacht hat, weiß ich nicht, darüber wurde zu Hause geschwiegen. Wenn wir zu Hause Besuch hatten, durfte ich allenfalls die Gäste bewirten, aber an den Gesprächen nie teilnehmen. Später, als er schon Rentner war, kamen zu den Geburtstagen immer noch Leute von der Stasi, die ihn betreut haben.

Mein Vater war sehr streng, streng bis brutal. Ich wurde geschlagen. Meine Geschwister noch mehr. Als ich zum Beispiel achtzehn Jahre wurde, an dem Geburtstag bin ich eine Viertelstunde zu spät nach Hause gekommen, da hat er zu mir gesagt, geh ins Schlafzimmer, an den Kleiderschrank, hol den Lederriemen, dann hat er die Beine gespreizt und meinen Kopf dazwischengeklemmt und mich mit dem Lederriemen, den ich selbst holen mußte, geschlagen. Als ich zum Studium nach Leipzig gegangen bin, ist er durch die halbe Stadt gelaufen, treppauf, treppab, und hat mir ein Zimmer organisiert. Das hat er eben auch gemacht.

Wenn ich wütend werde, sagt mein Mann immer, du bist wie dein Vater. Ich hasse meinen Vater so sehr, daß ich mir schon manchmal seinen Tod gewünscht habe. Vor allem, wie er jetzt mit allem schnell fertig wird, das kann ich nicht ertragen. Meine Mutter ist wiederum das völlige Gegenteil von meinem Vater. Sie ist eine ganz ganz zärtliche, liebe Frau. Im Krieg war sie im Lazarett Krankenschwester. Und diese Haltung, anderen zu dienen, ist auch geblieben. Wenn ich liebe, bin ich wie meine Mutter.

Was die Sicherheitsfragen in meiner Arbeit betrifft, da wird mehr vermutet, als es war. Als ich Leiter dieser Abteilung wurde, hat man mir jemanden von der Sicherheit ganz offiziell vorgestellt. Ich hatte also keine konspirativen Begegnungen. Dieser Kollege kam vor internationalen Kongressen zu mir und hat gefragt, wer teilnimmt, um die Übersicht zu haben.

In die Partei bin ich früh eingetreten, schon als Oberschülerin. Das geschah nicht in erster Linie unter dem Einfluß meines Elternhauses. Ich bin nach der zweiten Klasse in eine R-Schule, also in eine Schule mit verstärktem Russischunterricht, in Berlin-Pankow gekommen. Es stellte sich dann heraus, daß ich dort das einzige Nichtgenossenkind war. Meine Eltern waren inzwischen beide Mitglieder der NDPD. Das war eine schöne Zeit. Dann gab es noch einmal eine Auswahl. Ich kam in eine Russischschule, die zusätzlich verstärkten Unterricht in naturwissenschaftlichen Fächern hatte. Mein Vater ist, auch wenn er später der SED beitrat, nie Kommunist geworden. Mein Vater hat sich sehr sehr oft geirrt, aber das hat er nie zugegeben.

Mein Vater hatte relativ zeitig erkannt, daß der Krieg verlorenging. Das hat er meiner Mutter während des Krieges mitgeteilt. Er wurde dann in Rumänien stationiert und sollte von dort aus gegen die Sowjetunion fliegen, also bombardieren. Und mein Vater hat mir erzählt, daß er sich nach fünf Flügen durch einen Trick von der Front zurückgezogen hat. Und zwar gab es damals einen Befehl von Hitler, danach mußte jeder, der die Ruhr hatte, sofort von der

Front isoliert werden. Da hat er sich splitternackt auf den Fußboden einer Baracke gelegt. Die Nächte waren kalt, so daß er danach natürlich krank war und sofort von der Front weggebracht wurde. Natürlich wußte er vor jedem Start, daß er eventuell nicht zurückkehrt. Es sind ja auch viele Freunde von ihm gestorben. Ich kann mir eigentlich nicht vorstellen, daß er Angst hatte. Er war so ein leidenschaftlicher Flieger, jedes Sonntagsgespräch in meiner Kindheit, am Mittagstisch, drehte sich darum, wie er London bombardiert und wie die englische Abwehr zurückgeschossen hat. Er beschrieb das wie Sport. Überhaupt den ganzen Krieg. Wenn ich mich dagegen zur Wehr setzte, hat er mir den Vorwurf gemacht, ich sei ein Provinzler, vor allem weil ich Europa nicht kenne. Er ist in Frankreich einmarschiert, ist in Italien einmarschiert, in Jugoslawien. Ist also überall als Aggressor erschienen. Das hat er dabei ganz vergessen.

Mein Vater hat sich immer vorgestellt, daß ich mal einen Botschafter heirate, also jemanden, der im Außenministerium angestellt ist und ins Ausland geschickt wird. Ich habe dann meinen Mann geheiratet, der nach der Promotion nicht in die Wissenschaft ging, sondern im Zentralrat der FDJ arbeitete. Das hat Vater überhaupt nicht gefallen, das war ihm viel zu minderwertig.

Wenn ich beispielsweise eine Drei in Mathematik nach Hause brachte, hat er mich geschlagen, einmal so, daß ich von seinem Ehering eine ganz dicke Lippe hatte. Ich habe oft gezittert. Mit einer schlechten Zensur bin ich unter richtigen Qualen nach Hause gegangen. Das Kommen meines Vaters kündigte sich immer durch ein typisches Husten an. Dann sagte meine Mutter: Vater kommt. Ja, die hat er auch geschlagen. Wegen Banalitäten. Ich habe ihm jetzt schon mehrmals gesagt, daß ich den Kontakt zu ihm nicht mehr wünsche. Aber er macht immer wieder den Trick und schickt meine Mutter.

Also ich muß sagen, daß ich in vieler Hinsicht mit unserem Gespräch sehr unzufrieden bin. Ich ärgere mich bei vielen Fragen von Ihnen, daß ich mir die nicht selbst gestellt habe und deshalb jetzt so unsicher bin. Andererseits, das muß ich einfach sagen – ich fühl mich völlig ausgeleert, ausgekratzt. Studium, Kinder und die Arbeit, überall Multifunktionär. Ich bin richtig hohl dadurch geworden. Ich war mindestens zwanzig Jahre nicht im Pergamonmuseum, ich bin dumm geworden. Frauen und Berufstätigkeit. Emanzipation – wie wir das selbst erlebt haben, das hat uns zum Teil auch richtig verdummt. Ich muß sagen, daß ich mich für vieles schäme. Ich war wie eine Waschmaschine: Ich habe nur die Programme abgearbeitet. Und nun fühle ich mich durch das Gespräch auch ein bißchen überfordert. In den ganzen Jahren habe ich kaum Freundschaften gepflegt. Es war mir eine Last, wenn Anrufe kamen. Wir haben einen viel höheren Preis gezahlt, als wir uns eingestehen. Ich glaube auch, daß wir Frauen gesundheitlich in einem viel schlechteren Zustand sind. Daß der weibliche Körper darauf reagiert. Wir haben das alles nicht registriert.

Ich habe immer in einem vorneurotischen Zustand gelebt. Ich mußte ständig was abrechnen. Brigadefeiern habe ich nicht mitgemacht oder habe mich vorzeitig verabschiedet, weil ich nach Hause mußte, wegen der Kinder. Meine erste Auszeichnung als Aktivist konnte ich deshalb auch nicht selbst entgegennehmen. Ich hatte ständig ein schlechtes Gewissen – gegenüber meinen Kindern, gegenüber meinem Mann, gegenüber der Arbeit. Ich habe nur mit schlechtem Gewissen gelebt. Wenn ich im ZK zu Sitzungen war, fing ich an, darüber nachzudenken, was die Kinder machen und ob die wohl auch zu Bett gehen.

Es passiert schon mal, daß ich meinen Kindern eine Backpfeife gebe. Mein Sohn kann sich schwer konzentrieren. Eine Lehrerin hat am Anfang solchen Druck auf mich ausgeübt, daß ich dachte, mein Sohn sei nicht normal, und daß ich mit ihm zu den Psychiatern nach Herzberge gefahren bin. Die haben mir zu meinem Kind gratuliert.

Mein Junge hat in dieser Schule nicht viel gelernt. Er hatte keinen einzigen Lehrer, von dem ich sagen würde, jawohl, das ist eine Autorität. Mein Sohn hat mehrmals Selbstmord angekündigt, wollte aus unserer Wohnung im zwanzigsten Stock springen. Ein Freund sagte zu mir: Du hast dein Kind auf dem Altar deines Ehrgeizes geopfert. Ich habe schreckliche Schuldgefühle. Ich mußte lernen, mich zu meinem Kind zu bekennen, von der Lehrerin weg.

Ich hatte eine komplizierte Entbindung und habe oft überlegt, ob es auch dadurch gekommen sein kann. Jetzt möchte ich nur, daß er wieder Freude am Leben hat. Er hat jetzt unheimliches Fernweh, und ich werde ihm keine Steine in den Weg legen. Schön wäre es nur, wenn er erst einen Beruf hätte.

Mein anderer Sohn will unbedingt Kammerjäger werden. Er sagt, das hat Zukunft, sie werden ihn alle rufen. Ich wollte das erst nicht glauben, aber er meint das wirklich ernst.

Ich habe mich in keiner Weise zur Partei im Widerspruch befunden. Ich wollte dazugehören, ich wollte mit verändern. Es waren keine Karrieregründe, und es hat niemand auf mich Druck ausgeübt. Im Moment bin ich nicht drinnen und nicht draußen. Ich habe mich einfach nicht umgemeldet. Ich möchte nicht mehr mißbrauchbar sein. Ich will nur noch Dinge machen, die ich durchschaue, wo ich ganz dabei bin. Ich möchte unabhängig sein. Ich bin auch nicht mit allen Dingen einverstanden, die die PDS jetzt macht. Zum Beispiel die Eigentumsfragen hätten viel früher geklärt werden müssen. Ich finde auch nicht gut, daß das Präsidium zugleich die Volkskammerfraktion stellt, sich also wieder alles auf wenige konzentriert.

Ein negatives Grunderlebnis hatte ich durch meine Parteisekretärin, die sehr dumm und ungebildet, aber machtgierig war. Wenn man sie kritisierte, bekam sie einen Schreikrampf. Waren Rechenschaftsberichte fällig, wurde sie grundsätzlich krank. Und wenn sie es wirklich machte, war es verheerend. Sie hat sich bei der Kreisleitung und beim ZK über mich beschwert. Das kippte aber ganz schnell. Sie wurde überführt, daß sie gelogen hatte. Das war für mich die Erfahrung Stalinismus. Damals habe ich gemerkt, daß in der Partei etwas nicht stimmt, wenn solche Leute das Sagen haben. Da kamen viele Dinge dazu. Wenn man sich die letzten Plenen der Partei angesehen hat, das war so verlogen, man konnte es gar nicht mehr lesen. Die Parteiarbeit wurde für mich allmählich sinnlos. Wenn ich kritische Dinge gesagt habe, hatte ich hinterher immer das Gefühl, es kann sein, daß du morgen entlassen wirst. Kritik bewegte nichts.

Mein Mann war Funktionär im Zentralrat der FDJ. Über die

Alten haben wir uns oft unterhalten. Aber mehr bedrückte mich die nachfolgende Riege – Leute, die offenkundig intellektuell den Aufgaben nicht gewachsen sein würden. Auch ihre moralische Integrität war recht anfechtbar. Ich habe mich in diesem Kreis sehr einsam gefühlt. Sie hatten kein Verhältnis zu Büchern, zur Natur, hatten unerzogene Kinder und dumme Frauen. Mein Mann war völlig ungeeignet für diesen Apparat. Ich habe ihn unterstützt. Damit er schlafen konnte, bin ich mit den Kindern frühmorgens spazierengegangen. Ich verstehe bloß nicht, warum er nie dankbar dafür war. Wenn mich Männer interessiert haben, nur starke. Ein Schwächling, also einer, der Schwächen hat, hätte mich nicht interessiert.

In der Wohngebietsparteiorganisation gibt es so viele alte Leute, die überhaupt nichts begriffen haben. Die anderen sind fast alle ausgetreten. Es ist so eine Notgemeinschaft, die sich im Keller trifft. Das ist ganz schlimm. Die nehmen auch das neue Statut gar nicht zur Kenntnis, für die ist es noch immer die alte SED. Sie werden politisch überhaupt nicht aktiv. Und es herrscht ein rüder Ton. Das ist für mich keine Heimat. Da auszutreten wäre überhaupt kein Verlust. Im Gegenteil.

Ich suche jetzt andere Möglichkeiten, mich basisdemokratisch zu organisieren. Ich will zum Beispiel zum Gründungskongreß der Arbeitsgemeinschaft für Frauen gehen. Ich weiß noch nicht, als was ich dahin gehe, als PDS-Mitglied oder als Nicht-PDS-Mitglied.

Schuldgefühle? Na ja, weil ich damit groß geworden bin, daß man in der Partei der Sache die Treue hält. Und ich frage mich immer, inwieweit ich, wenn ich austrete, der Sache abschwöre. Ich habe Verrätergefühle. Und ich habe auch Probleme mit der Verwandtschaft von der Seite meines Mannes. Die sind noch alle in der PDS.

Es gab bei meiner Arbeit zunehmend Dinge, mit denen ich nicht einverstanden war. Aber ich habe nicht begriffen, welche Ausmaße das hatte. Über diesen Mechanismus denke ich nach. Was hat man alles verdrängt, wo hätte man sich bemühen müssen, Wissen zu vertiefen und dann auch mit Konsequenz vorzugehen. Das hat man nicht gemacht. Wir dachten immer, daß es sich um Einzelerscheinungen handelt.

Perestroika habe ich zunächst, was die ökonomische Seite anbelangt, nicht ernst genommen. Ich dachte, unsere Wirtschaft ist auf jeden Fall besser. Man hat ja die Schwierigkeiten täglich im Alltag bemerkt, aber ich dachte, das sind irgendwelche Verteilungsprobleme. Ich hatte die Hoffnung, daß an die Schaltstellen des Außenhandels jüngere, wirklich knallharte Leute kommen, die das dann in den Griff kriegen.

Meine Erfahrungen bei der Arbeit wurden immer verheerender. Mein Leiter war nicht einmal autoritär, er hat entweder durchgestellt oder alles im Sande verlaufen lassen. Außerdem war er korrupt. Für den war halb fünf jeden Tag Feierabend, da spielte sich nichts mehr ab. Aber die Reisen hat er sich unter den Nagel gerissen, auch wenn er gar nicht dafür geeignet war. Er hatte im ZK seine Lobby. Und da hat ja jeder Funktionär abgesahnt, wo er konnte. Im ZK *mußten* sie sogar um siebzehn Uhr das Haus verlassen. Da wurde nicht länger gearbeitet. Das ist ein wirklich reaktionärer Apparat gewesen.

Mit diesem Apparat möchte ich nichts mehr zu tun haben. Das hat sich zum großen Teil überhaupt nicht geändert. Zum Beispiel in der Abteilung Kultur sind alles die alten Leute. Ich vermute, daß Gysi Berater hat, die nicht gut sind. Ich weiß das nicht genau, ich vermute das nur.

Daß ich alles in Zweifel gestellt habe, kam bei mir ganz spät. Ich dachte, das sind alles Entwicklungsprobleme. Ich dachte, man braucht nur ein bißchen Zeit und Geduld, und dann kommt alles.

Ich wünschte mir jetzt eine Kur, damit ich Zeit habe, über mich nachzudenken. Die Waschmaschinentrommel dreht sich noch in mir. Ich kann nicht ohne Plan leben, ich komme einfach nicht aus diesem Trott. Ich habe noch nicht einmal die Fähigkeit, daß ich mich auf einen Stuhl setze und nachdenke. Und dadurch, daß ich jetzt verpflichtet bin, mir Arbeit zu suchen, erst recht nicht. Ich habe immer die Fehler bei mir gesucht, nie daran gedacht, daß vielleicht mit dem System etwas nicht in Ordnung ist. Andererseits, wenn ich fühlte, ich konnte was und ich wurde anerkannt, hatte ich auch Spaß an der Arbeit.

Ich habe mich total als DDR-Bürger gefühlt, und es fällt mir sehr schwer, Abschied zu nehmen. Ich habe jetzt in jeder Hinsicht Orientierungsschwierigkeiten. Ich habe eine Bekannte, eine grüne Christin, die sagt, sie faßt sich jeden Morgen mit ihrem Mann an und fragt: Bist du es noch? Wer bin ich? Dieses Gefühl von Unwirklichkeit, das habe ich ganz stark.

Sie haben mir viel aufmerksamer zugehört als ich Ihnen. Und nun merke ich, daß wir jetzt an einen Punkt gekommen sind, wo eigentlich Sie Probleme haben. Ich nehme mir jetzt vor, anderen zuzuhören. Ich reagiere zu spontan, urteile zu absolut. Ich kann aber auch ungeheuer verrückt sein. Aber immer nur kurze Zeit. Dann falle ich wieder in mich zusammen und habe Angst, zu laut gelacht zu haben. Das meine ich mit «kaputt sein».

Ich bin nicht so ein intellektueller Typ wie Sie. Was hat eigentlich den Ausschlag gegeben, daß Sie gerade mich fragten, ob ich mich so einem Gespräch stellen würde?

23. Mai 1990

Der Traum vom lichten Land

Mein Vater war Kellner bei Kempinski. Er ist immer spät nach Hause gekommen. Wenn er dann geschlafen hat, durfte ich keinen Krach machen. Dadurch hatte ich anfangs nicht so eine herzliche Beziehung zu ihm. Er war ein grundehrlicher Mensch, der nie einen Gast betrogen hätte. Seiner Meinung nach mußte es reiche Leute geben und Kellner, die sie bedienen. Wir waren sechs Kinder, meine Mutter und meine Großmutter. Die Großmutter machte die rückwärtigen Dienste. Meine Mutter war eine sensible Frau, die sehr gut zeichnen konnte. Ich wurde 1916, im Kohlrübenwinter, geboren.

Ich habe einen Brief meines Vaters aus dem Ersten Weltkrieg. Er hat russische Kriegsgefangene bewacht und zwei Gefangenen zur Flucht verholfen. Und den Brief eines Arztes, in dem dieser meinem Vater für die Pflege von russischen Kriegsgefangenen im Lazarett dankt. Mein Vater war kein Nationalist. Aber Kommunismus oder Bolschewismus waren für ihn Anarchie.

Ich bin ein Nachkömmling gewesen. Meine älteste Schwester ist 1900 geboren. Ihr verdanke ich viel. Sie hatte Rosa Luxemburgs «Briefe aus dem Gefängnis» gelesen und mir schon als Kind davon erzählt. Sie war bei der Dresdner Bank beschäftigt, Mitglied der SPD. Und sie hat auch dafür gesorgt, daß ich auf diese moderne Schule kam, die mein ganzes Leben geprägt hat. Überwiegend Arbeiterkinder, der Leiter ein bedeutender Pädagoge. Der Jugendweiheunterricht vom Verband der proletarischen Freidenker hat uns damals so begeistert, daß wir an der Schule illegal eine Zelle des kommunistischen Jugendverbandes gründeten. Mit Hans Coppi, Heinz Scheel und anderen. Wir haben den Film «Panzerkreuzer Potemkin» gesehen, wir haben sowjetische Schriftsteller gelesen, Bogdanow, Scholochow. Auch John Reed, «Zehn Tage, die die Welt erschütterten». Wir waren bei Matineen, wo Ernst Busch gesungen hat.

Wenn du sagst, die Kollektivierung in der Sowjetunion war ein Betrug an den Bauern, so können wir das vielleicht heute so sehen. Aber damals war ich von den Bildern und Filmen mit den großen Feldern und Traktoren begeistert. Den ersten Fünfjahrplan habe ich als ganz großartig empfunden. Daß die Religion, wie du sagst, «zerschlagen wurde», das Gefühl hatte ich nicht. Ich war der Meinung, daß die Popen eine konterrevolutionäre Rolle gespielt haben.

Meine Schwester kämpfte für die Gleichberechtigung der Frau, aber auch gegen die Kirche, die gegen eine progressive Entwicklung war. Und das hast du ja heute bei den Bärtigen, die sich in der Volkskammer zusammengefunden haben, wieder. Die Haltung zum Paragraphen 218 ist so etwas wie ein Offenbarungseid. In der Ulbricht-Ära ist auch so ein Muckertum erzogen worden. Die hatten überhaupt keine Grundhaltung zur Frau. Das hat mir am 8. März immer weh getan, dieses Tortenessen. Ich bin dazu erzogen worden, daß die Frau im Kampf gleichberechtigt neben einem steht. Ich habe Frauen anders geachtet, als die Generation nach '45 das bei uns gelernt hat. Ja, geleistet haben die Frauen viel. Aber die Männer haben sie auch oft behindert. In der Nazizeit wurden die Frauen viel härter angepackt als die Männer. In Vernehmungen und Folterungen, auch in psychischen Folterungen. Heute, in dem brutalen Kapitalismus, in den wir reinmarschieren, fürchte ich, trifft es wieder die Frauen am härtesten.

1932 begann ich eine kaufmännische Lehre. Aber mein Kontakt zu der Gruppe in der Schule blieb bestehen, und wir haben dann ab '33 illegale Arbeit gemacht. Zum Beispiel haben wir Bücher aus der Schulbibliothek in Sicherheit gebracht.

Die Haltung der KP zu den Intellektuellen kann ich nicht so beurteilen. Aber das war in der Kommunistischen Partei sehr differenziert. Neumann hatte eine andere Linie als Thälmann, auch was die SPD anbelangt. Tucholsky – ja, das habe ich auch oft gedacht, warum haben die nicht zur KPD gefunden.

Ich bin erst 1945 Mitglied der Kommunistischen Partei geworden. Meine erste Tätigkeit war der Aufbau des FDGB in Berlin. Mein Chef war kommunistischer Reichstagsabgeordneter gewesen. Also ein klassischer Kommunist, mit einem Gespür für Fragen des Klassenkampfes. Wovon er überhaupt keine Ahnung hatte, das waren Fragen der Kulturpolitik. Zum Beispiel, wenn es um die Bildung von Künstlergewerkschaften ging, schickte der mich los. Ich organisierte damals eine große Veranstaltung im Friedrichstadtpalast: Ein Jahr FDGB. Ich wollte gern, daß der Busch dort singt und daß Weinert ein Gedicht macht. Den Busch hatte ich endlich soweit. Und dann kam er ins Haus des FDGB in die Wallstraße, und ich war ausgerechnet in dem Moment nicht da. Die Sekretärin hat ihn beim Chef angemeldet, sagte also: «Hier ist ein Kollege Busch, der möchte Sie sprechen.» Der hat gesagt: «Busch? Kenne ich nicht. Ein Betriebsratsvorsitzender? Oder was ist das für einer?» – «Das ist ein Sänger. Mit dem haben Sie eine Verabredung.» – «Mit Kollegen Busch spreche ich nicht. Kenne ich nicht.» Der Busch ist wutentbrannt weggelaufen und hat natürlich nicht gesungen. Der Ulbricht war genauso. Keine Ahnung von der proletarischen Kunst vor '33. Wilhelm Pieck war anders. Und Münzenberg war ja nun der große Verleger, den wir hatten, mit breiter Bildung.

Ich habe die ganzen Jahre illegale Arbeit gemacht. Der Nichtangriffspakt? Nein, Schwierigkeiten habe ich damit nicht gehabt. Dafür bin ich wohl zu einfach und zu gläubig. Was die Sowjetunion macht, ist richtig. Das ist so bei mir. (Ich weiß noch, 1968 war ich in der Kreisleitung, und da war einer aus der Elektronenphysik, der hat gesagt, er kann das nicht gutheißen, er muß erst mal wissen, was da wirklich los ist. Und ich habe gesagt: «Wo die sowjetischen Panzer fahren, da brauche ich keine Zeitung lesen. Da ist meine Front.» Das war eben gefühlsmäßig so. Aber den jungen Menschen paßte das nicht. Die wollten es ganz genau wissen.

Diese Grundhaltung habe ich übrigens auch zu Gorbatschow. Ich wünschte mir, daß da wenigstens ein Teil gerettet würde.)

Also, der Scheel hatte mit Schulze-Boysen eine Zusammenkunft, das Gespräch ging um den Nichtangriffspakt. Von den stalinistischen Verbrechen habe ich nichts gewußt, und ich hätte es auch nicht geglaubt. Auch nicht Informationen von Schulze-Boysen. Der hat davon gewußt, genauso wie Sorge. Daß sie den Sorge nicht ausgetauscht haben, bedrückt mich sehr.

Schulze-Boysen war bei Göring im Luftwaffenministerium. Scheel war auch zur Luftwaffe eingezogen, zum Wetterdienst. So entwickelte sich ein Verhältnis. Ich wollte auch dahin, wurde aber schließlich Personalbearbeiter bei der Artillerie. Das verfolgt mich das ganze Leben – immer Kaderpolitik. Im Illegalen praktisch auch. Wenn wir neue Menschen gesucht haben. Später habe ich mich an der Akademie nur noch um die Entwicklung von Führungskadern gekümmert. Bin auch mal auf dich gestoßen. Jedenfalls haben wir dich zu zentralen Sitzungen mitgenommen. Und da hast du dich dann unglücklich gefühlt.

Damals war ich also auch in der Personalabteilung, hatte dadurch Zugriff zu Formularen, Urlaubsscheinen und Dienstreiseaufträgen. Das war schon interessant. Mein Chef war ein ganz ungebildeter Faschist. Für den habe ich die Berichte ans Oberkommando des Heeres gemacht. Das war interessant, weil ich jetzt seinen Panzerschrankschlüssel und damit Einblick in geheime Kommandosachen bekam. Coppi berichtete Harro davon, und der wollte mich kennenlernen. Das war Ende 1940.

Angst haben wir sehr oft gehabt, besonders wenn es irgendwo einhaute, wenn Menschen verhaftet wurden. Schulze-Boysen stammte aus einer patriotischen Familie. Aber das Verderben Deutschlands durch den Faschismus hat ihn auf die antifaschistische Seite gebracht. Er hätte als blonder germanischer Typ und durch seine Vorfahren jede Karriere machen können. Aber er glaubte, daß die Jugend die Welt verändern müsse. 1934 war er wegen einer Zeitschrift, die er herausgegeben hatte, verhaftet, und er wurde furchtbar zusammengeschlagen, vor seinen Augen wurde sein engster Mitarbeiter und Freund zu Tode getrampelt. Nur durch die Beziehungen seiner Eltern kam er noch mal raus. Den Haß haben sie ihm gewiß auch eingepeitscht.

Er war dann bei Göring in der Abwehr. Hatte viele Einblicke. Zum Beispiel der selbstinszenierte Angriff auf Freiburg, der dann Anlaß für die Bombardierung von Coventry und Amsterdam war.

Oder der Anschlag auf den Sender Gleiwitz. Er glaubte fest an den Sieg der Sowjetunion.

Im Februar '43 bin ich auf einer britischen Kanalinsel verhaftet worden. Die ersten Verhaftungen waren August/September '42. Meine Frau, wir waren seit '36 verheiratet, ist schon bei der ersten Welle dabeigewesen. Erst einmal bekommst du einen furchtbaren Schreck. Aber du gewöhnst dich daran. Du entwickelst einen – wieviel Sinne hat der Mensch? Das hat dann später jahrelang gedauert, es wieder loszuwerden.

Ich wurde zum Tode verurteilt. In Einzelhaft vom Februar bis Dezember, davon fünf Monate Todeskandidat. Das Urteil wurde nach vier Wochen rechtskräftig. Jeden Tag hast du gedacht, du wirst abgeholt. Ich war siebenundzwanzig. Leben wollte ich unbedingt. Ich dachte immer, beim Transport springst du ab. Auch wenn es aussichtslos ist, alles versuchen. Nun muß ich sagen, verraten hatte keiner. Alle haben sich an die Legenden gehalten. Was ja nicht einfach war, denn das waren Könner. Verurteilt wurde ich wegen eines Flugblattes.

Die Strafe wurde dann in fünfzehn Jahre umgewandelt. Anfang der fünfziger Jahre bin ich deswegen immer wieder ins ZK zu Gesprächen bestellt worden, praktisch verhört, wieso ich noch lebe. Das war sehr belastend. Ich kam damals in ein Bewährungsbataillon und bin dann übergelaufen. Das war gefährlich, und danach war es auch gefährlich. Meine Freunde haben immer gesagt, ich bin der Hans im Glück.

Erst nach '45 habe ich erfahren, daß da, wo ich übergelaufen bin, von den Faschisten Leute zurückgelassen wurden, die für eine Agententätigkeit eingeschleust werden sollten. Gerade an dieser Stelle. Und ich war glücklich, daß ich endlich im Vaterland der Arbeiter war, und habe gestrahlt. Ein sowjetischer Soldat hat mich wohl für besonders abgefeimt gehalten. Der kam mit seiner MP und – brrr. Der begleitende Offizier schlug ihm das Ding hoch, und die Garbe ging über meinen Kopf weg. Ich habe nicht mal Zeit gehabt, einen Schreck zu kriegen.

Ich bin unzählige Male vernommen worden. Eines Tages ging die Sonne auf und ich kam auf die Antifa-Schule, das heißt, nur bis in die Küche. Vorher war ich im Torf, in einer Papierfabrik, im Wald.

Du fragst, wie der XX. Parteitag auf mich gewirkt hat. Man hatte das nicht gewußt. Ich habe gedacht: Verflucht, muß man das jetzt veröffentlichen. Das schadet der internationalen Arbeiterbewegung. Wozu muß man das jetzt alles auskramen. So habe ich damals gedacht. Nun wird immer mehr ausgekramt. Ich habe vielleicht das Glück gehabt, daß ich immer gute Menschen traf.

Am 20. Oktober '45 war ich dann wieder zurück. Ich hatte zwar von der konspirativen Arbeit Ahnung, aber nicht von den politischen Dingen. Diese ganze Vereinigung mit den Sozialdemokraten – es gab ehrliche Sozialdemokraten und große Schlawiner, aber das war keine Zwangsvereinigung.

Der Antifaschismus wurde viel zu einseitig auf die Rolle der Kommunisten reduziert. Sie waren zwar die stärkste Kraft, aber andere Kräfte wurden ausgegrenzt. Das war keine richtige Politik. Überall in den europäischen Ländern gab es eine große Breite des Widerstandes.

Bei uns ist ja der Jugend der Antifaschismus sehr nahegebracht worden. Und wie sie dann alle nach Ungarn gereist sind, habe ich mir gesagt: Vor wie vielen von denen hast du wohl in der Jugendweihe gesprochen oder bei der Vereidigung in der Armee. Und ich habe mich gefragt: Was ist denn nun hängengeblieben? Irgend etwas muß doch geblieben sein.

Die Menschen wollen jetzt gar nichts mehr hören. Du kannst die Menschen ja nur verändern, indem du sie voll einbeziehst. Wenn du ihnen das verordnest und vorsetzt, kannst du reden und schreiben, das hilft gar nichts. Es ist immer gutgegangen, wenn ich über das Schicksal einzelner Menschen gesprochen und ihre Abschiedsbriefe vorgelesen habe. Das geht unter die Haut. Das war eben etwas anderes als das, was in den Schulbüchern stand.

Ich habe mit dem Sohn von Hans Coppi mal in der Jungen Gemeinde gesprochen. Ich hatte ein bißchen Angst davor, aber das war ein wunderbarer Abend. Das waren alles intelligente, aufgeschlossene junge Menschen. Wir durften als treue Genossen nicht so einfach hin, ohne das in der Partei abzustimmen. Wir haben eine Beratung im Staatssekretariat für Kirchenfragen gemacht. Anschließend hat sich die zuständige Genossin von der Bezirksleitung aufgespielt, warum wir nicht zuerst die Partei informiert hätten. Das müsse im ZK entschieden werden. Dann sind wir zum Abteilungsleiter Agitation im ZK. Der hat sich das angehört und sich aufgeplustert. «Ich muß euch sagen, diese Junge Gemeinde, die haben schon sehr viel von eurer konspirativen Arbeit gelernt. Gefährlich. Na ja, macht mal.» Der hat das dann an die Abteilung für Kirchenfragen im ZK weitergegeben. Die haben protestiert und sich wieder an die Bezirksleitung gewandt. Man solle uns nicht hingehen lassen, denn dadurch würde die Junge Gemeinde anerkannt. Das war keine anerkannte Organisation. So ging das hin und her, schließlich haben sie gesagt: «Einmal.» Und das war ein sehr schöner Abend. Und danach kriegten wir Briefe von Rügen bis Suhl. Von Pfarrern, die uns einluden. Und dann haben sie das verboten.

Einer sagte mir in dieser Veranstaltung, das waren meistens Schüler: «Wissen Sie, wir haben ja in der Schule gelernt, wie es zum Faschismus kam. Aber das war so langweilig, daß ich gar nicht aufgepaßt habe. Jetzt möchte ich gern mehr darüber lesen.»

Die Zentrale Leitung des Komitees Antifaschistischer Widerstandskämpfer hat völlig versagt. In diesen ersten Wochen im Herbst, als es so hoch herging, hätte man doch eine Stellungnahme erwartet. Da war nichts drin.

Ich erinnere mich, wie Geschonneck sagte: «Wir sind hier nicht in der Klippschule. Wie lange müssen wir das noch anhören!» Da ging es hoch her. Die Orthodoxen sagten, so dürfte man nicht reden, das zerstöre die Autorität. Und die anderen waren begeistert. Einige waren völlig verkalkt und lebten nur noch in der Vergangenheit. Ich hoffe, daß das bei mir noch nicht so schlimm ist.

Was ich von der heutigen Situation halte? Also, ich bin Realist, und es schmerzt mich sehr. Das ist ja ein Stück unseres Lebens, das wir mit ehrlichem Herzen und viel Kraft aufgebaut haben. Das ist die eine Seite. Die andere Seite ist, und das haben wir immer gewußt, daß die höhere Arbeitsproduktivität entscheidet. Und die ist dort, nicht bei uns. Hier war eine rückläufige Entwicklung.

Diese heutige Bewegung zurückzudrehen, wäre rückschrittlich. Es war vielleicht nicht gut, daß die Revolution in so einem armen, rückständigen Land gesiegt hatte. Wenn das damals auf die Länder Westeuropas übergegriffen hätte...

Es wird jetzt so sein: Erst schöpfen sie die DDR ab. Wenn die kaputt ist, werden sie investieren. Und dann kommt Überproduktion. Krise. Es kommt alles wieder. Dann suchen sie neue Märkte. Und dann erhöht sich die Kriegsgefahr. Bei den Polen werden sie organisieren, daß die «heim ins Reich wollen». Dann die Wolgadeutschen. Die haben große Erfahrung, wie man so etwas macht.

Und dann fangen wir wieder von vorn an. Ich bin überzeugt, daß der Sozialismus eines Tages siegt. Aber ich werde nicht mehr dabei sein.

Ob ich ein Gefühl der Schuld habe? Was wir schon lange gesehen haben und was mich auch angekotzt hat, war unsere verlogene Berichterstattung in der Zeitung. Objektiv sind wir natürlich mitschuldig. Ich durfte mir ja vielleicht mehr erlauben als manch einer. Aber die Parteiversammlungen waren so schrecklich und steril. Ich hoffte, daß aus dem Kreis des ZK ein Kritiker kommen würde, aber da war keiner. Die aufstiegen, das waren immer die unangenehmen Typen, die zum Munde sprachen.

Nein, meine Möglichkeiten, die ich gehabt hätte, die habe ich wohl nicht ausgeschöpft. Dazu hat es mir gewiß an Format gefehlt.

10. Juli 1990

Ein eigenes Outfit

Warum ich mit Ihnen spreche? Ein bißchen war es auch Neugier. Ich wollte mal sehen, wie ein Schriftsteller so lebt.

Ich bin sechzehn Jahre alt. Die Zeit jetzt – also ich habe mir das schon früher so gedacht, weil ich dazu eine Einstellung habe, das können Sie sich ja denken – daß wir mal Großdeutschland werden. Mein Gott, wenn ich das so sehe. Ich meine, mir persönlich langt es noch nicht: das ganze Deutschsprachige, das müßte alles eins sein. Das gäbe vielleicht auch stärkere wirtschaftliche Macht. Krieg mit atomaren Waffen, das wäre Schwachsinn. Das ist nicht zu gewinnen.

Jeder kann sich schließlich hocharbeiten. Wir schaffen es doch auch, und wir hatten zwei Weltkriege. Wir haben uns immer wieder hochgearbeitet, wie tief wir auch unten waren.

Einen richtigen Nationalsozialismus gab es ja noch gar nicht, das waren immer nur Ansätze. Das war Faschismus. Unter Nationalsozialismus stelle ich mir vor, daß deutsche Arbeiter was sind und nicht wie der letzte Dreck behandelt werden. Deutsche Arbeitsplätze für deutsche Arbeitnehmer. Die ganzen Ausländer hier, das bringt nichts. Warum bleiben denn die Leute nicht in ihrem Land. Die können doch in ihrem Land helfen, daß es vorangeht. Die Leute haben bei uns nichts verloren. Man hätte die gar nicht erst reinholen dürfen. Die Ausländer tragen zur Steigerung der Kriminalität bei. – Gut, es gibt auch Deutsche, die kriminell werden.

Die Einheit muß jetzt schnell kommen. Durch die Preise sind die Leute einfach erst mal ein bißchen zurückgeschreckt. Aber Halt gibt es sowieso nicht mehr. Vorwärts geht's.

Mein Vater ist Staplerfahrer und meine Mutter Lagerfacharbeiter. Ich habe drei Schwestern, alle jünger. Die Kleine, die ist sechs Jahre alt, die bekommt immer den Vorzug. Wenn man älter ist, wird man abgeschoben. Vielleicht wollt ich es auch gar nicht haben, so geliebt werden von Vater und Mutter. Mehr Kraft hat der Vater. Manchmal ist er ganz okay, aber dann kommt wieder ein Punkt, da geht es einfach nicht weiter. Da regt er mich bloß auf. Meistens wegen der Kleinen. Der hat die Kleine so gern. Die braucht nichts zu machen. Nicht aufräumen, nichts. Das können immer die Größeren machen. Die Eltern merken das gar nicht. Bloß, sagen hat auch nicht viel Sinn.

Meine Eltern haben nichts dagegen, daß ich nach Berlin fahre. Wenn sie wissen, daß alles sicher ist, sagen sie ja. Aber ich hatte mal so eine Sache mit der Polizei. Die haben mich geschnappt und aufs Revier geschafft. Am Alexanderplatz. Und da habe ich dann gesagt, daß ich woanders hinfahre, nicht nach Berlin. Weil sie Angst hatten. Wenn ich mal irgendwohin fahre, gibt es meistens Beulen, obwohl ich gar nicht anfange. Oft fahre ich allein, und da gibt's meistens was, weil die Leute einfach noch nicht aufgeklärt sind. Die denken, Skinheads sind Schläger. Ich habe doch nichts gegen die Deutschen. Zum Beispiel wie die Fußballskins deutsche Leute verkloppen, niemals. Vollkommener Schwachsinn. Solange einer arbeiten geht, seiner Arbeit ordentlich nachgeht.

Mischlinge in die Welt zu setzen, finde ich von den Eltern nicht richtig. Für mich ist das Rassenschande. Ausländische Kinder, das muß nicht sein. Die könnten ja ruhig ein Ding machen, aber keine Kinder. Ich glaube, daß jede Rasse, braun, weiß und gelb, unterschiedlich ist. Ich sehe keine Gemeinsamkeiten zwischen einem Neger und einem Weißen. Ich würde sagen, ein Neger ist für mich mehr ein Affe. Das ist meine Meinung. Das braucht keiner zu akzeptieren. Wenn ich jetzt einen Neger zwischen einen Affen und einen Weißen stelle, wem sieht der ähnlicher? Dem Affen, aber hundertprozentig. Ich sage ja nicht, von der Intelligenz her, nur vom Aussehen. Und von den Lauten.

Das ist bei mir von klein an so gewesen. Nein, von meinen Eltern habe ich das nicht. Die haben nie so was gesagt. Auch nicht dagegen. Schon in der dritten Klasse habe ich so gesprochen und habe auch schon damals solche Kreuze gemalt. Ich wollte halt was anderes. Ich war nicht mit dem einverstanden, was um mich drumrum war. Was mich dazu gebracht hat, weiß ich nicht, vielleicht bin ich da irgendwie durch Geburt reingeraten... Das war jetzt Schwachsinn – irgend jemand muß mir das schon beigebracht haben. Vielleicht habe ich dann auch die ersten Kumpels gefunden. Aber ich würde doch sagen, daß das in jedem drinliegt.

Sicher, Kameradschaft spielt eine große Rolle. Und wenn man eine Idee hat, ist das etwas anderes, als wenn man nur rumhängt und trinkt. Wir haben uns unser eigenes Outfit zugelegt, uns abgesondert. Wenn man sich so ein Outfit, also solche Kleidung zulegt, muß man dahinterstehen. Manche machen das bloß, um aufzufallen, die Leute zu provozieren. Wenn ich weiß, daß ich kein Nationalsozialist bin und auch kein Rassist, wozu dann die Kleidung? Als Nazi-Skinhead bin ich ein Glatzkopf, der Nationalsozialist ist. Die Bezeichnung Fascho ist eigentlich falsch. Wir sind keine Faschisten, ein Nazi-Skinhead ist Rassist, möchte zumindest einer sein. Sonst bin ich doch kein Nazi. Auschwitz und das Ganze ist ja eine Lüge. Das ist inzwischen nachgewiesen, von Engländern und von Amerikanern, daß in Auschwitz wirklich niemand vergast wurde. Die Leute hatten schließlich ihr Israel unten und die Möglichkeit zu gehen. Wenn sie nicht gingen, dann wurden sie halt ins Arbeitslager gesteckt. Mußten sie halt arbeiten. Sicherlich gab es Tote, wenn man schwer arbeiten muß. – Ja, Sie haben schon recht, es waren eine ganze Menge.

Jeder ist dazu da, um zu überleben, und wenn die anderen zuviel Schaden an der Umwelt machen, muß man denen mal eine Warnung geben.

Wie ich mir die Zukunft vorstelle: Jeder muß erst mal seiner Arbeit nachgehen. Und alle Ausländer raus. Nur noch deutsche Arbeiter drin. Und dann alle deutschsprachigen Länder zusammen. Das ist mein Ziel. Wir können uns doch zu was hocharbeiten. Ich würde sagen, ein Portugiese ist nicht so produktiv wie ein Deutscher. Es gibt vielleicht auch Portugiesen, die ihre Arbeit machen. Aber die größere Anzahl Deutscher ist produktiver. Es gibt allerdings bei uns auch Faule und Assis.

Na, man möchte sich schon ein bißchen informieren. «Mein

Kampf» habe ich gelesen und andere ältere Bücher. Aber jeder lebt in seiner Zeit, und jede Menschengruppe hat ihre Zeitideale. Manche haben jetzt Helmut Kohl als Ideal, Quatsch. Das hat mit der Vergangenheit nichts zu tun. Jetzt geht es erst mal um die ganze Bewegung. Eine Person wird sicher irgendwann kommen. Es gibt kleinere Parteien, wo ein Führer ist. Es gibt große Parteien, die keinen haben. Ich sage das mal hier, für mich sind die Republikaner keine Nationalsozialisten. Das ist Schwachsinn. Das sind ganz normale Leute, die an irgend etwas glauben. An was, weiß ich auch nicht. Ich habe die Flugblätter gelesen, die wollen keinen Nationalsozialismus, keinen Kommunismus. Was die eigentlich wollen, ich weiß es nicht.

Viele hängen das nämlich an einen Faden.

Wenn einer seinen Arbeitsplatz an einen Neger verliert, weil der vielleicht weniger Geld bekommt – ich würde sagen, der hat nicht mehr dieselbe Meinung zu den Ausländern. Der sagt dann nicht mehr: Ach, Ausländer, meine Freunde! Der würde sich total arrangieren. Dem würde die Partei helfen, daß der seinen Arbeitsplatz wiederbekommt. Die meisten denken nämlich nur an ihr eigenes. Die denken, solange ich meinen Arbeitsplatz habe, ist mir alles egal. Daß jeder nur an sich selbst denkt, das geht doch nicht!

Alle in der Welt haben Vorurteile gegen die Deutschen.

Die Konzerne müssen weg. Na ja, ich gebe zu, wie man das wirklich organisiert, weiß ich nicht. Das ist für mich noch immer wie eine Wand. Darüber muß ich noch einmal mit anderen sprechen. Bisher hatten die Leute kein Interesse, weil sie eingeengt waren. Jetzt wird das anders. Für mich gibt es keine Westdeutschen, wir sind alle Deutsche.

Ich will nach der zehnten Klasse Steinmetz werden. – Ja, ich könnte mir gut vorstellen, auch Politiker zu sein und auch Macht zu haben.

7. Juli 1990

Ein Hort der Ideen

Für mich ist es wichtig, noch etwas über die DDR zu erzählen. Indem ich darüber rede, denke ich auch darüber nach und werde mir klarer. Einerseits bin ich über die vielen neuen Möglichkeiten froh. Zum Beispiel das Reisen: Gerade war ich in Amsterdam, Zürich und Rom. Dann wiederum bin ich traurig, weil ich fürchte, daß die Hoffnung, die ich hatte, überhaupt nicht mehr real ist. Ich stelle mir das Zusammenleben der Menschen nicht so vor, wie es in der DDR war. Auch nicht, was den Ton anbelangt, in dem man miteinander umging. Aber ich habe doch immer gedacht, daß die Entwicklung in der DDR in eine vernünftige Richtung geht.

Ich bin schwul. Die letzte Phase dieses Erkennens, wir nennen sie coming out, war im letzten November. Ich hatte vorher eine Beziehung mit einer Frau, die war für mich wichtig und schön. Sie ging im November zu Ende. Das hing mit den politischen Veränderungen zusammen. Sie hat mich nicht mehr verstanden. Zum Beispiel, was mich treibt, weiter in der Partei mitzumachen. Ich kann es nicht ausschließen, daß ich auch mal wieder eine Frau liebe. Jetzt habe ich mich erst einmal für diese Lebensform entschieden.

Die meisten Häuser in dieser Straße sind Anfang Mai besetzt worden. Die waren «entmietet», so heißt das. Sie sollten abgerissen werden. Das wurde aber im letzten Dezember von einer Bürgerinitiative gestoppt. Lange Zeit war unklar, was daraus werden sollte. Dann gab es einen Besetzungsaufruf, und da sind die Leute so nach und nach hingezogen. Es war viel beschädigt. Die Stromleitungen rausgerissen, die Gasleitungen zerstört. Wir mußten alles erst neu installieren.

Neben uns ist ein Frauenhaus. Unser Haus nennen wir Tuntenhaus, das ist die Steigerung von schwul. «Schwul» war ja früher auch ein Schimpfwort. Wir nennen uns so, um zu zeigen, daß wir uns nicht mit Worten unterdrücken lassen. «Tunte» ist so ein ausgrenzendes Wort, mit dem auch die meisten Homos nichts zu tun haben wollen, deshalb greifen wir es gerade auf. Die Häuser haben alle unterschiedlichen Charakter. Mit Wohnungen, mit Großkommunen.

Wenn ich früher über die DDR nachdachte, war es für mich ein Problem, daß wir den Kommunismus nicht in kleinen Bereichen ausprobieren konnten. Ich meine damit Zusammenleben in Gemeinschaften, die freiwillig sind, wo es keine Machtstrukturen gibt. In kommunalen Strukturen leben.

Ich glaube nicht, daß ich, wie Sie sagen, ein illusionäres Menschenbild habe. Es ist nur im Moment für die Gesellschaft nicht praktikabel. Die Menschen, die zu uns kommen, wollen in der Kommune leben, ohne Machtstrukturen und antipatriarchal. Es ist also nicht nur der Druck von außen, der uns zusammenschmiedet, sondern eher, daß wir selbstbestimmt leben wollen.

«Autonome», das Wort stammt aus dem Italienischen. Es ist aus Arbeitskämpfen heraus entstanden, hat auch etwas mit anarchosyndikalistischen Ansätzen zu tun. Sicherlich ist das ein Wort, das viele von uns für sich akzeptieren. Andere nennen sich Kommunisten. Es gibt auch welche, die sind bei den Grünen.

Viele binden, wenn sie zu Demonstrationen gehen, Tücher um, weil die Polizei Fotos macht und diese Demonstranten als linksextremistisch angesehen werden. Danach steht man auf der Fahndungsliste.

Außerdem erzeugt die Presse ein Bild von Gewalttätigkeit. Es gibt natürlich auch Leute, die einen totalen Haß haben, auf das System, auf Ausbeutung oder auf Menschen, die mit Südafrika Geschäfte machen. Die wehren sich dann mit Gewalt. Ich persönlich mag das nicht. Wenn ich eine gewaltfreie Ordnung will, kann ich nicht auf andere Leute losgehen. Etwas anderes ist der eigene Schutz. Es gab häufig rechtsradikale Übergriffe, zum Beispiel von Fußballfans. Soziale Unsicherheit, wie sie jetzt hier herrscht, verursacht immer so einen Rechtsruck. Viele suchen dann «Schuldige», an denen man sich abreagieren kann. Und da sind dann Ausländer, Schwule und alle Leute, die links sind, dran.

Ich kann eigentlich die Frage nach dem Unterschied zwischen Rechts- und Linksradikalismus nur schwer beantworten. Die Gleichsetzung mag ich auch nicht. Skins prügeln Wehrlose. Die anderen prügeln die Skins, damit diese nicht Wehrlose prügeln.

Meine Eltern sind geschieden. Ich war damals dreizehn. Schlimm war, daß meine Mutter uns jeden Kontakt zum Vater untersagen wollte. Das war belastend. Meine Mutter ist Ärztin und hat in der Zeit viele Nachtdienste gemacht. Deshalb waren wir, mein Bruder und ich, oft allein zu Hause, das war fürchterlich. Heute bin ich selbständig und kann allein bleiben. Aber vielleicht glaube ich dadurch nicht an Familie. Alle Ehen, die ich kenne, erlebe ich eher als eine Wirtschaftsgemeinschaft. Ich akzeptiere dieses Recht, das Eltern auf ihre Kinder zu haben glauben, nicht.

Meine Eltern sind beide in der SED gewesen, und mein Vater, auch Mediziner, ist heute noch in der PDS. Da gibt es eine gute Gesprächsbasis zwischen uns. Ich habe jetzt mein Medizinstudium aufgegeben. Mein Vater hat am Telefon überhaupt nichts Negatives dazu gesagt, nur: «Junge, das mußt du wissen.» Das zeugt auf jeden Fall davon, daß er mit mir umgehen kann. Er hat sich immer bemüht, mehr ein Freund zu sein, auch wenn das nicht immer geklappt hat. Meine Mutter ist völlig ausgerastet, als ich ihr davon erzählt habe. Auch bei der Homosexualität war mein Vater toleranter. Meine Mutter hat versucht, verständnisvoll zu reagieren. Aber sie unterstellt mir eigentlich seit der letzten Schulklasse simples Oppositionsdenken. Und alle meine Handlungen empfindet sie als gegen sich gerichtet. Obwohl ich versuche, mit ihr gut auszukommen, und mich auch bemühe, nicht heftig zu werden, was manchmal ganz schön schwer ist.

In der letzten Klasse habe ich den Aufnahmeantrag in die SED gestellt. Das war einfach selbstverständlich. Meine Eltern waren drin, andere in der Familie waren schon in der KPD. Es war praktisch so eine Traditionslinie. Von Verfolgungen in der Nazizeit habe ich gehört, als ich noch sehr klein war. Meine Familie identifizierte sich stark mit der DDR. Ich auch. Obwohl ich zugleich einen Hang zum Weltbürger habe. Zur Bundesrepublik überhaupt nicht, eher gegen. Ich habe gedacht: Viele dort wollen uns schlecht, vor allem die Machthaber. Und das ist sicherlich auch heute noch richtig.

Wie man das später historisch wertet, kann ich natürlich nicht sagen.

Ich bin drei Jahre zur Armee gegangen, um mein Land zu schützen. Auch um den Frieden zu erhalten, im Sinne von Gleichgewicht. Die Armeezeit habe ich als ziemlich bedrückend erlebt. Da gab es viele Mißstände. Und ich habe in der Parteigruppe etwas dagegen gesagt und zu spüren bekommen, daß man das nicht tun sollte.

An der Uni war ein viel freieres Klima, dort habe ich mich wohl gefühlt. Dann kam das Jugendfestival im vorigen Jahr, das war für uns ein Kontrapunkt. Wir haben versucht, als Parteigruppe etwas dagegen zu machen, haben Briefe an den Zentralrat der FDJ und an das Zentralkomitee geschrieben. Es kam auch jemand und hat mit uns gesprochen: Es sei alles vorbereitet, und man könne das nicht mehr abblasen, wir sollten erst mal mitmachen. Hinterher würden wir noch einmal darüber reden. Und wir haben uns tatsächlich breitschlagen lassen.

Wir haben dann einen Beschluß gefaßt, das heißt, ich selbst habe dagegen gestimmt. Aber ich war FDJ-Sekretär und mußte den Beschluß durchsetzen. Das war schlimm. Und trotzdem habe ich in dem Moment noch nicht an der DDR gezweifelt.

Ich habe natürlich gemerkt, da stimmt etwas nicht. Ich habe immer gedacht, Veränderungen müssen aus der Partei selbst kommen. Was aus der Sowjetunion, insbesondere von Gorbatschow, in der DDR erschienen ist, habe ich alles gelesen und gedacht, so etwas brauchen wir in der DDR auch. Und ich dachte, die sind alt, ewig regieren können sie nicht, und dann wird wohl ein Junger kommen. Das war natürlich auch ein Verdrängungsmechanismus. Man kann an eine Sache glauben wollen und die dann glauben, und das ist ja auch zweckmäßig gewesen. Daß ich genau das geglaubt habe, was am bequemsten war, was mich nicht dazu gezwungen hat, persönlich mutig zu werden, das muß ich mir heute vorwerfen. Ich habe mich immer mutig gefühlt, indem ich sagte, das ist schlecht, und jenes müßte anders sein. Und dann habe ich in der Parteiversammlung geredet, und alle haben es ähnlich gesehen. Und dann haben wir uns alle gegenseitig bestärkt, da muß sich was ändern, und kamen uns ganz kritisch vor. Aber wir haben nichts getan. Und als es nötig war, etwas zu tun, zum Beispiel bei dem Festival, da haben wir dann das Händchen gehoben, mit Mehrheit beschlossen und es alle zusammen durchgesetzt. Und nicht ein Mensch ist aus der Partei ausgetreten. Ich bin mir nicht sicher, ob nicht die Angst vor Repressalien während des Studiums einen noch bestärkt hat. Nicht so bewußt, aber als Gefühl? Es ist ganz schön schwierig, damit im nachhinein zurechtzukommen. Das ist persönliches Versagen.

Über die Feiertage um den 7. Oktober mußte ich für irgendein Testat lernen. Das war in der Nähe Prenzlauer Allee. Da habe ich Polizisten gesehen, Pfiffe gehört und wußte, da war Demonstration. Das hat mich total aufgewühlt, einerseits dieses Polizeiaufgebot, und dann: Da demonstrieren Leute gegen meinen Staat. Ich wußte wirklich nicht, was passiert, ich war völlig ratlos. Einerseits dachte ich, die wollen jetzt alles kaputtmachen. Und andererseits war die Polizei da. Das war entsetzlich.

Ende Oktober bin ich mal zum Neuen Forum gegangen und habe mich informiert, und da habe ich gedacht: Ja, die haben recht. Sie verstanden sich auch nicht als Opposition gegen die DDR, sondern als eine Opposition, die eine Bürger- und Bürgerinnen-Republik will, und das fand ich richtig. Wir wollten auch in die Parteigruppe jemanden einladen. Das war von heute gesehen lächerlich.

Im November habe ich mich mehr um Studentenräte gekümmert als um mein Studium. Im zweiten Studienjahr Medizin, da muß man pauken. Aber das andere war für mich wichtiger.

Über die Mauer und die Reisefreiheit habe ich schon vorher oft diskutiert. Da wurde immer gesagt: «Ja, guck mal, wir können uns das nicht leisten. Die Devisen. Und dann sind die Arbeitskräfte weg.»

Die Partei ist kein Meinungsbildungsorgan, sondern nur ein Durchsetzungsorgan gewesen. Die Meinung wurde von dem engen Kreis an der Spitze bestimmt. Man kann sagen, das war keine

Demokratie. Aber da muß man erst sagen, was Demokratie sein soll. Und solche Dinge wie Nationale Front und Bürger-Komitees wären an sich gut. Bloß, das waren alles nur Inszenierungen.

Ich stelle mir eine Gesellschaft vor, in der die Menschen im Einklang miteinander und mit der Natur leben, in der die Menschen tun können, wonach ihnen der Sinn steht, solange es sich nicht gegen andere Menschen richtet. Ohne große Chemiewerke und Kernkraftwerke und sehr solidarisch miteinander. Ich würde das «Demokratischen Sozialismus» nennen. Ich stelle mir das nicht so im Sinne von Parteien und Parlament vor, da glaube ich nicht dran. Aber ich glaube, daß Kommunen auch größer werden können, ich kann mir auch eine ganze Gesellschaft vorstellen, in der sich die Beziehungen zwischen den Menschen in diesem Sinn neu ordnen. In der die Menschen in Betrieben arbeiten, die kleiner sind, wo die Menschen wirklich mitbestimmen und Nutzen für andere schaffen. So eine Gesellschaft stelle ich mir gern vor. Natürlich ist mir klar, daß man so eine Gesellschaft nicht mit Menschen schafft, die Mercedes fahren wollen und denen es egal ist, wie sie mit Umwelt umgehen.

Dieser Traum hält mich nicht ab, mich zu meiner realen Umgebung zu verhalten. Die Gesellschaft kann auch in dem Rahmen, den sie sich jetzt gesetzt hat, menschlicher funktionieren.

Ich bin noch in der PDS und war neulich in der Wohngebietsgruppe. Ich hatte vorher Horrorvorstellungen, daß dort nur alte Leute sitzen, die sich völlig schlimm benehmen. Aber es war sehr interessant. Für mich hat sich so ein merkwürdiger Gegensatz ergeben zwischen denen, die kritiklos an das Alte zurückdenken und darin das «Goldene Zeitalter» sehen, und anderen, vor allem Jungen, die voll auf Marktwirtschaft und Vereinigung abfahren. Die sagen, jetzt haben wir die Möglichkeit, wir müssen ins Parlament. Und wir müssen das, was da jetzt neu entsteht, mitgestalten. Mir gefällt weder das eine noch das andere.

Ich mag dieses Deutschland nicht mitgestalten, das jetzt entsteht, weil ich genau die Spielregeln kenne. Die heißen: industrielle Produktion ohne Grenzen auf Kosten der Dritten Welt, auf Kosten von Frauen. Ausländerfeindlichkeit. Und Gefahr für den Frieden. Wenn dieses Deutschtum so hochkommt, da kann man Europa und sonstwas sagen, das ist immer eine Gefahr für den Frieden gewesen.

Was mir jetzt überhaupt nicht gefällt an der PDS: angetreten mit dem Wahlslogan «Progressiv. Produktiv. Pro DDR», und jetzt wird darüber geredet, ob man dem Staatsvertrag zustimmen soll und welche Änderungen noch rein sollen. Das gehört sich nicht.

Ich denke, die Partei sollte Hort der Ideen und Träume sein. Und ich würde meine Träume da gern hingeben.

30. August 1990

Das Wohnmobil

Mir war klar, daß viel passieren würde, als in Ungarn der Stacheldraht durchgeschnitten wurde. Natürlich hat sich jeder Gedanken gemacht, ob er gehen sollte oder nicht. Darüber haben wir nächtelang gesessen, meine Frau und ich. Man hat sich auch mit guten Bekannten unterhalten, Gleichaltrigen. Das hatte alles sein Für und Wider. Aber hätte es diese Leute nicht gegeben, dann würden wir heute noch immer dasitzen und uns auf den 41. Jahrestag vorbereiten.

An den Demonstrationen habe ich nicht teilgenommen. Ich habe mich da rausgehalten, muß ich ehrlich sagen. Erst einmal hatte ich keine Zeit, und es gab auch genug Krakeeler. Und wir wußten ja alle, die Polizei war zu der Zeit noch nicht so zurückhaltend. Ich habe mich darüber gefreut, und dabei habe ich es belassen.

Ich wußte, zu was dieses Regime fähig war. Ich habe die bei der Armee kennengelernt. Wenn man Meinungen vertreten hat, die dem Kompaniechef nicht gefallen haben, wurde man eindeutig aufgearbeitet. Man bekam keinen Ausgang und keinen Urlaub, und wenn das nichts half, dann ging das weiter.

Ältere Leute haben einen gewarnt: Es gibt Leute in diesem Land, die passen auf, die können dir dein ganzes Leben vermiesen. Das ging so weit, daß wir uns gesagt haben, okay, bei Politik halten wir uns völlig raus. Auf jeden Fall in Gaststätten und bei Leuten, die wir nicht kennen.

Warum sollte ich zu irgendeinem Sozialismus Vertrauen haben? Mit der Variante habe ich abgeschlossen. Nie wieder! Die haben auch nie Vertrauen mir gegenüber an den Tag gelegt. Niemals.

Jede Branche hatte für sich ein ganz spezielles Erlebnis. Und mir ist schon klar, daß ein Künstler den Sozialismus anders erlebt hat als ein Arbeiter. Ein Künstler hatte ja Freiheiten oder konnte sie erreichen. In bezug auf Reisen. Man hat schon mal die Welt sehen können und dabei meistens gut verdient. Man konnte sich auch ein besseres Bild machen über das, was kommt, über den Westen, über den marktwirtschaftlichen Ablauf. Ich kann mich nicht so hundertprozentig in Künstler reinversetzen. Ich habe sie zu keiner Zeit als meine Sprecher empfunden, obwohl sie sicher manches Kluge gesagt haben. Ich habe mich mehr um mich und meine Familie gekümmert, darum, wie das weitergehen sollte. Wir hatten ja alle unsere eigenen Gedanken dazu.

Was erhalten bleiben sollte? Fragen Sie mich das nicht. Die Kindergärten? Na gut. Das ist an sich eine feine Sache. Aber wir wohnen im Neubaugebiet, und da ist keine Gruppe unter zwanzig oder fünfundzwanzig Kindern. Das ist eine Massenabfertigung. Für mich und meine Familie kann ich nur sagen: Gut, daß es so gekommen ist. Uns wird es nur bessergehen.

Wenn ich früher im Ausland war, habe ich schon alle wissen lassen, daß ich DDR-Bürger bin. Wenn man zum Beispiel nach Polen fuhr, da wollte man schon sagen, bei uns ist das so, warum ist es bei euch nicht so. Oder mit einem Sowjetbürger: Man diskutierte, der Zustand war derselbe, aber wie es in jedem Land dahinkam, das war anders.

Wir sehen jetzt eigentlich jeden Tag, daß die Westdeutschen auch bloß Menschen sind. Und wenn man dann zurückdenkt an die vergangenen Jahre: Mein Gott, kamen die sich großartig vor, wenn sie mal hergekommen sind.

Der DDR-Bürger wurde ja dazu erzogen, schön ruhig zu bleiben und alles mitzumachen. Das Selbstbewußtsein ist uns richtig entzogen worden. Wir hatten im Prinzip immer einen Vormund.

Mit unseren Westberliner Bekannten, mit denen wir sehr intensiven Kontakt haben, gibt es solche Probleme gar nicht. Im Gegenteil. Aber es kam ja vor, daß Leute sagten: «Kieck mal, das muß doch son doofer Ossie sein, der da wieder verkehrt rum die Rolltreppe hochlooft!» Oder wie die Bundesbürger uns jetzt die Autos verkaufen, mit Überpreisen, und wir kaufen trotzdem. Oder die ganzen Versicherungsgesellschaften, und was da alles auf uns zukommt. Dem sind wir doch noch gar nicht gewachsen. Wir müssen noch eine Menge lernen. Aber wir sind ja lernfähig.

Ich rechne mir bei völliger Mietangleichung eine Miete von 600 DM aus, und damit komme ich hin. Mein Lohn ist mittlerweile schon dreimal gestiegen, von 5,82 DM auf 8,20 DM die Stunde. Und im Augenblick ist noch nichts teurer geworden, aber vieles billiger. Wenn ich jetzt einkaufen gehe, habe ich den ganzen Kofferraum voll.

Wenn Sie fragen, was ich am liebsten kaufen würde: wie fast jeder ein schickes niegelnagelneues Auto, eine Superstereoanlage, einen total starken Fernseher, eine Reise dahin, wo es immer warm ist.

Das meiste habe ich schon. Mit dem Auto überlege ich noch. Bei einigen Typen könnte ich mir vorstellen, sie zu fahren.

Ich denke mir unsere Zukunft so, daß wir beide Arbeit haben werden, daß unser Kind weiter in den Kindergarten geht und daß wir uns auf Grund unserer erarbeiteten Gelder nach und nach etwas leisten.

Gegen die Ausländer habe ich nichts. Sogar unsere Vietnamesen haben sich tadellos eingewöhnt. Man muß dazu sagen, als die zu uns kamen, sahen sie nicht nur körperlich schwach aus, sondern sie haben es wirklich nicht gepackt. Aber gut, ein Vierteljahr war rum, und die Leute konnten arbeiten. Es wird in Zukunft genug Arbeit geben, und wir werden vielleicht in Zukunft froh sein, wenn wir die Ausländer haben. Wie in der Bundesrepublik. Wie lange das noch dauern wird? Da wage ich lieber keine Prognosen. Weihnachten wird es nicht sein.

Ich habe immer noch so einen kleinen Traum. Einen Transporter, gebraucht gekauft, umgebaut zum Wohnmobil, eine tolle Perspektive. So etwas konnte man eben früher gar nicht machen. Da waren einem in allen Richtungen die Hände gebunden. Wenn man das alles durchkalkuliert, kriegt man für weniger als zehntausend Mark ein Wohnmobil mit toller Innenausstattung, die man sich natürlich selber kauft. Ein Wohnmobil für drei Personen und dann drei Wochen Europa unsicher machen, das ist doch eine tolle Sache. Das ist in Zukunft alles möglich.

Ich war immer mit einem Kind zufrieden, aber meine Frau... Es gab eine Zeit, da wollte sie noch eins haben, aber wie gesagt, es wird auch ohne gehen. Weil man ja nicht so genau weiß, was noch alles an Kosten kommt. Und dann müßte man sich nach einer größeren Wohnung umsehen. Also, mir hat schon immer ein Kind gereicht.

Ich habe zu den Tschechen ein gar nicht so schönes Verhältnis. Ich war ein paarmal mit dem Auto drüben und habe da mitgekriegt, daß man als DDR-Bürger nicht unbedingt gern gesehen ist. Und dann haben sie die Benzinpreise so drastisch erhöht. Pkws haben sie uns in den letzten Jahren auch nicht geliefert. Man hat rundum gemerkt, was die von uns halten. Da bin ich im Augenblick so mißgestimmt, daß ich mir vorläufig nicht vorstellen kann, dahin zu fahren.

Mit den Polen komme ich besser klar. Obwohl – jedes Land hat seine Eigenarten, und die Polen waren nie die Fleißigsten. Na gut, sollen sie alle machen, wie sie denken, da kann man nichts weiter dazu sagen. Das ist eben wahrscheinlich so die Mentalität der Leute. Fairerweise muß man sagen, irgendwoher müssen sie das Geld für ihre Hamsterkäufe haben. Und wir haben es ja hingetragen.

Bei uns im Betrieb stellen wir zum Beispiel Badzellen her, so einen Standard: Badewanne, Waschbecken, Tapete geklebt. Als da jetzt zum erstenmal so ein Bundesdeutscher reinging, bevor die Mieter eingezogen waren, und sich das anguckte, hat er gesagt: Also, Jungs, das geht nun überhaupt nicht mehr. Die DIN-Norm sagt, in Naßräumen muß generell gefliest werden. Also, das ist so kurios. Wenn man unsere Badzellen sieht, die sind klein, die sind eng, und dann diese Tapete dazu, die sich von selber löst, weil wir das Ganze vierzehn Tage bis drei Wochen auf Freiflächen stehen haben, wo natürlich das Wasser rankommt. Die Leute kommen zu den Baustellen und gucken nur: Das kann nicht wahr sein, die Tapete fällt wieder ab. Und überhaupt das ganze Niveau mit diesen komischen Plastemischbatterien. Das ist für einen Bundesbürger wirklich ein Ereignis, das mal zu sehen. Da haben wir natürlich ein paar Auflagen erhalten.

Ich finde jetzt alles wahnsinnig aufregend. Die Mauer hat uns so unverschämt abgeschirmt, daß wir nicht wissen, was Technik und Fortschritt ist. Das war so gemein, man hat ja teilweise drüben in der Toilette gestanden und wußte nicht, wie der Wasserhahn aufgeht. Weil die eine völlig andere Technologie haben. Mit diesen Einhebelmischbatterien, das ist eben eine tolle Sache, oder mit den Lichtschranken, wenn man spülen will. Man hat dagestanden wie so ein kleiner Trottel. Und das ist ja bei der anderen Industrie dasselbe, ob das nun Autoindustrie oder Möbelindustrie ist. Ist das nicht beschämend? Wir sind ja nun dasselbe Volk, und wir sind so hinters Licht geführt worden.

Mein Arbeitsplatz – Fertigteilindustrie, Betonelemente – ist zur Zeit nicht in Frage gestellt. Also, ich sehe da totale Perspektive, prima. Der Meisterlehrgang, von dem ich Ihnen früher erzählt habe, da spielt sich vorläufig nichts ab. Es gab mal einen Riesenbedarf. In jeder Schicht mußten zwei Meister gleichzeitig vor Ort sein. Das mußte man reduzieren. Man muß doch effektiv arbeiten. Die Leute sind längst weg, die sich das damals ausgedacht haben. Es gibt noch welche, die haben Erfahrung von früher mit marktwirtschaftlichen Bedingungen. Gleich als es losging, haben wir ein Drittel der Büroangestellten entlassen. Das wurde einfach gemacht. Da gab's ganze Bereiche Neuererwesen und sonst dergleichen, die waren so uneffektiv, was Schlimmeres gab es gar nicht. Zum Beispiel eine Meßtruppe, die hatte dreißig Mann. Die wurden ersatzlos abgeschafft. Und das geht, das geht besser als vorher. Also man wagt sich das gar nicht zu sagen, wir haben in den sechziger und siebziger Jahren besser produziert als später. Schuld daran ist das Neuererwesen. Die haben nur versucht, so billig wie möglich, so schnell wie möglich und soviel wie möglich zu produzieren. Koste es, was es wolle, immer mit einem Minimum an Arbeitsmaterial. Und da kommt dann so was zustande wie so eine Badzelle.

Ich bin dreißig Jahre alt. Seit 1978 bin ich im Betrieb. Natürlich Armee, eineinhalb Jahre und zweimal ein Viertel. Zum Gefreiten befördert. Das war wohl jeder. Ich bin da mit allen ausgekommen. Jeder hat die Notwendigkeit ja irgendwo eingesehen. Obwohl die eineinhalb Jahre für jeden natürlich auch eine Strafe waren. Aber man hat versucht, das zu überspielen. Wir waren alle unter dreiundzwanzig, alle Facharbeiter. Ein gutes Team auf der Stube.

Um noch einmal auf meinen Arbeitsplatz zurückzukommen, eins ist sicher, so kann es nicht weitergehen. Wir machen jetzt ein Auslaufprogramm für unsere Wohnobjekte, und dann können wir nur nach Bestellung produzieren. Wenn jemand bestellt, wird geliefert. Aber ob bestellt wird, das wird durch die Qualität des Angebots bestimmt. Man muß Niveau zeigen. Wir haben seit acht Jahren dasselbe Sortiment produziert, es gab kaum Detailverbesserungen. Wenn man jetzt einem Bundesdeutschen erzählen würde, daß wir noch Alùwasserleitungen haben und den Kaltwasserstrang in Plaste, dann würde der nur mit dem Kopf wackeln.

Wir sind jetzt eine Holding. Genau erklären, was das ist, kann ich nicht.

Meine Eltern sind auch bloß Arbeiter. Ja, was heißt bloß? Es gab ja Zeiten, in denen man nicht besonders angesehen war als Arbeiter. Da hat jeder versucht, was Besseres zu sein.

Alles, was aus dem Westen kam, hatte eben immer höheres Niveau. Und wenn man dann feststellen mußte, ein Gerät, das bei uns drei- bis viertausend Mark kostete, Mark der DDR, war drüben für sechshundert zu haben, bedeutete es doch, daß unser Geld nichts galt. Dadurch wurde die Arbeit, die man machte, im Prinzip abgewertet.

Abwarten und Tee trinken. Optimistisch auf jeden Fall, aber ein Stück Ungewißheit steckt natürlich drin. Spätestens, wenn die Firma doch pleite machen sollte, geht es los: Was dann? Also, ich bin mir sicher, ich würde andere Arbeit finden. Aber die Umstellung müßte man erst mal bewältigen. Ich bin bereit zu arbeiten. Ich traue mir eine Menge zu, und ich weiß, daß ich was kann. Ich weiß, meine Arbeitskraft ist was wert. Für 5,82 DM gehe ich nie wieder arbeiten.

24. August 1990

Ein Völkchen für sich

Für mich ist es nicht schwer, mich zu unterhalten, und daß es für ein Buch ist, das ist eigentlich Nebensache.

Ich habe vieles vom Verhalten meiner Eltern uns Kindern gegenüber nicht verstanden. Leider kann ich mit meinem Vater nicht mehr darüber reden, weil er verstorben ist. Zu ihm war der größere Zwiespalt, sowohl bei meinem Bruder als auch bei mir. Meine Mutter ist, wie ich es in vielen Familien erlebt habe, verständnisvoller und versucht auszugleichen. Ich glaube, das liegt noch an dem alten Rollenverhalten, daß sich der Vater mit den Kindern, wenn sie klein sind, weniger befaßt, sondern mehr auf der geistigen Ebene, wenn sie dann vernünftiger sind, so daß in vielen Familien die emotionale Bindung an die Mutter größer ist.

Ich habe viele Auseinandersetzungen mit meinem Vater gehabt. Wenn man jung ist, drückt man sich noch ein bißchen drastisch aus. Vieles habe ich nicht so durchschaut, aber die Auswirkungen zu spüren bekommen. Und dagegen habe ich versucht anzugehen, rein aus der Emotion heraus.

Ich habe mich zum Beispiel sehr bei der FDJ engagiert, und ich habe mitbekommen, daß es nichts brachte, wenn ich auf irgendwelchen Delegiertenkonferenzen herumsaß oder auf diesen unsinnigen Freundschaftsratssitzungen, wo nie was rauskam, wo man FDJ-Kleidung anziehen mußte. Das hat mein Vater überhaupt nicht verstanden, weil er eben aus der völligen Anfängergeneration kam. Als Halbjude im Krieg aufgewachsen, gerade mal so mit dem Leben davongekommen, hat er nach dem Krieg die Chance gesehen und sich da mit aller Euphorie reingestürzt mit seinen achtzehn, neunzehn Jahren, und hat, glaube ich, die schönsten Zeiten dieser Organisation miterlebt. Als eben nicht jeder drin war, sondern nur wenige, als die Jugendlichen sich da wirklich zusammengefunden hatten. Das ist ja verlorengegangen. Er hat nicht verstanden, daß ich damit nicht klargekommen bin, sondern daß ich auch verbittert war. Ich habe in der zehnten Klasse, nachdem ich mich drei Jahre lang aufgerieben hatte, nicht mal einen Blumenstrauß dafür bekommen.

Ich bin schon immer sehr reiselustig gewesen, und dieses Eingeengtsein hat mich am meisten bedrückt. Ich hätte es vielleicht noch eingesehen, wenn alle nicht hätten fahren können. Durch den Beruf meiner Eltern wußte ich, wie das läuft, wer weshalb wohin fahren kann, zu sogenannten Dienstreisen. Ich wußte also genau, es gibt Privilegierte. Vati hat als Journalist viel von der Welt gesehen, und Mutti ist nie ins Ausland gekommen. Die großen Reisen hat eben Vater gemacht, und die größeren beruflichen Erfolge hatte natürlich auch er. Insofern kenne ich auch die Schattenseiten dieses Berufs. Ich studiere jetzt selbst Journalistik.

Der Streit geht immer darum, ob das nun eine Wissenschaft oder ein Handwerk ist. Ich bin der Meinung, es ist ein Handwerk, das von Wissenschaften lebt. Die an der Uni haben sich künstlich etwas aufgebaut. Das sind oft Leute, die nie selbst journalistisch gearbeitet oder die in der Praxis versagt haben. Das Vorhaben mit der Ausbildung ist vielleicht ganz gut. Das Problem ist nur, es sind nicht die richtigen Leute. Da sitzen wirklich noch die ganzen Alten. Ich mache jetzt mein Vordiplom zu Ende und will dann woanders weiterstudieren.

Ich hatte mich schon auf der Oberschule geweigert, in die Partei einzutreten, weil ich mir sagte, was soll das mit achtzehn. Für das Studium war es eigentlich von Anfang an eine Verpflichtung. Aber man hatte ja noch nicht mal gearbeitet, man wußte also gar nicht, wie es so langläuft. Während des Volontariats hatte ich mit meiner Mutter große Auseinandersetzungen, weil sie überhaupt nicht verstanden hat, warum ich so viele Fragen gestellt habe. Für sie war alles eine Selbstverständlichkeit. Meine Oma war in der Partei und auch dafür begeistert. Meine Mutter und meine Tante sind mehr aus Tradition reingegangen. Ich wollte eintreten, hatte aber Angst. Ich hatte das Statut gelesen und dachte, das ist es eigentlich. Aber ich hatte im Rundfunk so schlimme Sachen erlebt in dem einen Jahr, und dieser Zwiespalt wurde immer größer. Es hing natürlich sehr von den Leuten ab. Es gab da auch welche, die zwar in der Partei waren, aber die meiner Meinung nach viel mutiger und kritischer waren als die, die sich irgendwo um die Dinge rumgedrückt haben.

Mit meiner Mutter gibt es jetzt gar keine Schwierigkeiten. Ich meine, daß wir uns nichts vorwerfen. Wenn Vater die Zeit erlebt hätte, ich glaube, das hätte zu einem Bruch geführt. Wir hätten uns abgenabelt, mein Bruder und ich. Sie haben eine Menge gewußt. Wenn sie sich mit Kollegen unterhalten haben, wurde viel kritisiert. Wenn wir dann das gleiche kritisieren wollten, durften wir es nicht. Weil mein Vater Angst hatte, wir verlieren unsere Ideale.

Die Tanzgruppe hat mich total geprägt. Meine Oma hat aus allen in der Familie Schauspieler machen wollen, und ich war ihr letzter Versuch. Sie hat mich schon mit fünf Jahren dahingeschleift. Ich war am Anfang sagenhaft schlecht. Die Tanzpädagogin hat versucht, mich rauszuekeln. Ich kann mir nicht mehr ganz erklären, warum ich trotzdem weitermachte. Irgendwann machte es klick, und ich wurde auf einmal gut. Geprägt hat es mich insofern, daß man beim Tanzen viel von sich zeigen muß, man muß seine Hemmungen überwinden. Bei uns durfte man ja nie spontan sein. So kann ich also viel Gefühl, Frust oder Freude rauslassen. Auch was das Äußere angeht. Man wurde doch sehr erzogen, auf das Äußere zu achten. Und durch das Tanzen habe ich auch Mut bekommen, dies «Man macht» oder «Man darf nicht» zu überwinden.

Ich habe im September in Leipzig angefangen zu studieren. Da mußten wir die ersten zwei Wochen aufs Feld in die Landwirtschaft, was ich übrigens ganz gut fand. Abends saßen wir vorm Fernseher. Da waren Bilder von der Nikolaikirche, wie die unauffälligen jungen Herren mit Lederjacken in die Massen reinsprangen oder Transparente runterrissen. Wir fragten: «Was ist denn da los?» Bei uns gab es ziemlich viele Leipziger. Und die sagten: «Na wißt ihr das nicht, das ist doch schon seit Februar.» Und wir hatten wirklich keine blasse Ahnung.

Dann kamen wir nach Leipzig, fingen an einem Montag an und hatten als letztes Fach «Aktuell-politisches Argumentieren». Wir wurden belehrt, daß wir danach sofort ins Wohnheim zu fahren hätten. Die meisten ließen sich wirklich einschüchtern. Ein paar Mädchen und ich, wir sind hingegangen. Und es war irgendwie unfaßbar. Ich hatte so etwas nie gesehen. Nur nach der Wahl an der Gethsemanekirche, aber da war alles sehr stumm gewesen. Doch so etwas wie in Leipzig, wo die sich wirklich Punkt siebzehn Uhr trafen, und das wurde immer dichter, so etwas hatte ich nie erlebt. Und die Polizei mit den Hunden. Und dann standen die völlig eingeengt in den Straßen und sangen die Internationale. Also man dachte: Mein Gott, hier passiert ja wirklich was.

Und diese Stimmung war eigentlich im Oktober, November schon für mich vorbei. Ende September habe ich den ersten großen Marsch mitgemacht. Bis dahin standen wir ja nur an der Kirche zur Friedensandacht, wir kannten uns noch gar nicht so aus. Die Massen standen diesmal von der Oper bis zum Gewandhaus, solche Massen auf einmal bei einer nichtorganisierten Demonstration hatte ich noch nie gesehen. Und dann sind wir zum Bahnhof runtermarschiert, das war so richtig euphorisch. Da hatten alle ihre Kinder mitgebracht, als Schutzschild. Da liefen ganze Familien und alle Altersgruppen.

Das hatte sich für mich dann schon nach dem 7. Oktober erledigt. Am 9. Oktober bin ich dann wirklich nicht hingegangen. Aus Angst, sage ich ganz ehrlich. Bei einer späteren Demo, wo wir hinter der DDR-Fahne gingen, hatten wir Angst, daß die Leute auf uns losgehen würden. Ich war so wütend, daß ich mich als Bonzenkind beschimpfen lassen mußte, und als Stasikind. Ich erinnere mich an eine Frau in Pelzjacke, die wahrscheinlich vierzig Jahre lang in aller Ruhe gelebt hatte, ohne sich jemals Schwierigkeiten zu machen, von solchen mußten wir uns nun beschimpfen und angrapschen lassen. Hinter uns schrie einer: Lieber tot wie rot. Ich sagte zu ihm: Das heißt aber «als». Da wurde der wütend und schrie: Ist doch völlig egal! Ich sagte: Wenn du schon ein Deutscher sein willst, mußt du auch richtig deutsch reden. Das war natürlich sehr gewagt. Der hat sich wahrscheinlich nur noch nicht richtig vorgetraut. Das war so ein richtiges Spießrutenlaufen. Rechts und links sahst du solche riesigen Münder, die immer auf uns einbrüllten. Da haben wir uns damals gesagt, das lassen wir lieber sein, das bringt überhaupt nichts. Später, vor der Oper, so mit Licht angestrahlt und mit Fahnen, da dachte ich, das ist wie aus alten Wochenschauen. Die brüllten sich gegenseitig nieder. Also, das war gespenstisch.

Das Studium wurde erst mal ausgesetzt. Denn im ersten Studienjahr hatte man vor allem Geschichte der SED, Militärpolitik und solchen Schnulli. Und nun wußten sie nicht mehr, was sie mit uns anfangen sollten.

Meine Freundin und ich, wir sind in ein Krankenhaus arbeiten gegangen, was sehr lehrreich war. Aber das wäre ein anderes großes Thema – die Hierarchie der Ärzte und Schwestern, dieses Geplänkel untereinander. Das Abschieben von Krankheit und Tod in die Krankenhäuser. Ich glaube, das ist so eine Sache, unsere ganze Zivilisation krankt an einer unnatürlichen Angst vor dem Tod, weil man eben damit überhaupt nicht in Berührung kommt. Man sieht im Fernsehen jeden Abend Hunderte sterben. Aber in der Wirklichkeit?

Es ging im Oktober los. Leute von der Psychologie und der Philosophie hatten sich zusammengesetzt, und auf einmal hing da ein Zettel von einer Vorbereitungsgruppe vom Studentenrat. Ich fand das unheimlich aufregend, aber alle anderen – nichts dergleichen. Man sollte doch denken, Journalistikstudenten müßten interessiert sein. Aber ich war wirklich die einzige vom ersten Studienjahr. Und ich war dann auch bei der ersten Sitzung dabei, als das alles noch provisorisch gewesen ist. Ich habe die Leute erlebt, die das angeschoben haben. Es waren eine Menge Philosophie- und Psychologiestudenten dabei, alle natürlich schon viel älter. Viele Genossen. Ich muß sagen, in dieser Zeit ist soviel Neues auf mich hereingestürzt: weg von zu Hause, das Studium, dann diese Situation im Oktober in Leipzig. Ich bin zu den Sitzungen des Studentenrates anfangs regelmäßig hingegangen und habe dort zum erstenmal etwas von demokratischen Spielregeln mitbekommen. Eigentlich habe ich bloß zugehört, die hatten viel mehr Einblick, gerade die Philosophen. Da gibt es Dozenten, die im September schon auf der Abschußliste standen und die jetzt wieder draufstehen. Die sind heute genau so unbequem wie früher auch.

Auf dem Konzil am Ende des Studienjahres saßen wir sechs Stunden und wollten eigentlich nur die Kommission wählen, die das neue Universitätsgesetz ausarbeiten sollte. Aber viele Professoren wollten unbedingt noch ihre Probleme auf die Tagesordnung bringen. Wir haben uns bloß gestritten und sind nicht einmal zur Wahl gekommen. Ich habe peinliche Ausfälle der Naturwissenschaftsprofessoren, gerade Mathematik, Medizin, das waren wohl die Schlimmsten, gegenüber den Gesellschaftswissenschaftlern erlebt. Weil letztere angeblich immer in der ersten Reihe tanzten. Aber die hatten sich wirklich die ganze Zeit am meisten engagiert. Es geht schon bis runter zu den Studenten, daß man sich dafür entschuldigen muß, Philosophie, Journalistik oder gar Marxismus-Leninismus «unter den alten Stalinisten» gemacht zu haben. Die Demagogie treibt Blüten. Wir Studenten wollen eine Kommission gründen zur Untersuchung von Amtsmißbrauch und fachlicher Inkompetenz, darauf wollen *wir* uns konzentrieren.

Mein politisches Engagement kann mir schon Schwierigkeiten machen. Aber ich glaube, daß sich die anderen auch ändern müssen. Die globalen Probleme werden eine ganz andere Einstellung zum Leben und zur Gesellschaft erfordern, sonst werden wir hier ziemlich schnell einen Abgang machen.

Die Grundidee von einem gemeinsamen Europa finde ich eigentlich sehr gut. Aber bei diesem ganzen Ding empfinde ich die größte Gefahr, daß sich Europa «friedlich vereint» und auf Kosten der übrigen Welt lebt, also Asien, Afrika und Lateinamerika dafür zahlen müssen. Ich versuche, aus diesem ganzen Deutschland- und Europatopf herauszukommen und weiterzugucken. Selbst wenn es in Europa Abstufungen gibt, wird sich das schnell verwischen. Wenn ich nur überlege, wie verbrecherisch die wirtschaftlich starken Länder mit den Entwicklungsländern umgehen, müßte ich schon bei jeder Frucht, die ich esse, ein schlechtes Gewissen haben.

Nein, einen Freund habe ich zur Zeit nicht. Aber jede Menge

Probleme. Ich hatte einen Freund aus einer Medizinerfamilie, ein Medizinstudent. Das war alles so typisch intellektuell abgehoben. Ständig irgendwelche überhöhten Diskussionen. Gerade in dieser Zeit, in der man sich sowieso schon aufgerieben hat. Ich war eigentlich heilfroh, als die Sache vorbei war. Wir haben uns nicht gegenseitig geholfen, sondern eher das Gegenteil war der Fall.

Meine Probleme hängen eigentlich nicht mit der Gesellschaft zusammen. Ich möchte unbedingt Kinder haben. Mein Vater hat mich immer als Emanze beschimpft. Und ich bekenne mich dazu. Ich bin wirklich für eine Gleichberechtigung. Aber für diese Feministinnenbewegung habe ich nicht allzuviel übrig. Viele wollen eine Umkehrung, die sind wirklich militant. Das Rollenverhalten existiert ja nicht nur für uns, manche Frauen machen sich überhaupt keinen Kopf, ob nicht auch die Jungs darunter leiden. Ich habe das ganz stark durch meinen Bruder mitbekommen, der überhaupt nicht ins Schema paßt. Die Haltung meines Vaters gegenüber Frauen konnte ich gar nicht akzeptieren. So richtig bürgerlich spießig. Ein Mann muß viele Frauen haben, sonst ist er kein richtiger Mann, und die Frau hat treu zu sein. Mein Vater hat sich nicht mal eine Stulle selber geschmiert. Das fand ich irgendwie lächerlich. Auf der anderen Seite, muß ich sagen, hat meine Mutter es ja auch nicht anders gewollt.

Ich halte nichts von diesen alleinstehenden Müttern, die dann sagen: Ich schaff das schon. Ich würde wirklich versuchen, eine Partnerschaft erst sehr lange auszuloten, ehe ich ein Kind mit reinziehe. Ich habe überhaupt nichts gegen heiraten. Man kann sich notfalls ja wieder scheiden lassen.

Die Situation jetzt ist beschissen, es ist alles zu spät gekommen. Einfach schon dadurch, daß wir nur ein zweiter Teil Deutschlands sind und nicht ein eigenständiges Land bleiben, wie die Tschechoslowakei zum Beispiel. Wir waren am 30. Juni zu einer Fete im «Babylon», Abschied von der DDR-Mark. Da war so das typisch linke Szenepublikum. Bei den Extremen kann man schon gar nicht mehr zwischen rechts und links unterscheiden. Ich mag das Wort «links» eigentlich nicht besonders, ich würde mich eher «kritisch» nennen. Vor allem verstehe ich mich als Verteidiger von

DDR-Eigenheiten. Das betrifft für mich vor allem die Beziehungen zwischen den Leuten. Die waren teilweise schlimm und krank, aber teilweise, vor allem unter den Leuten, die sich getraut haben, etwas zu sagen und intelligent ranzugehen, sehr gut. Was jetzt mit unserer Kultur und den Medien passiert, finde ich einfach furchtbar. Ich bin Ostberlinerin, und ich werde es auch bleiben, das wird sich so schnell nicht verwischen. Irgendwann sicher, aber nicht dadurch, daß man die U-Bahnhöfe aufmacht.

Und ich werde immer ein Mensch bleiben, der in der DDR aufgewachsen ist. Ich verstehe gar nicht, warum ich mich deshalb schämen sollte. Gerade junge Menschen versuchen, was sie in der DDR an Gutem erlebt haben, zu verteidigen. Aus der Elterngeneration machen jetzt viele, bloß um ihre Existenz zu retten, eine Wende um hundertachtzig Grad und lassen uns völlig allein. Sie haben uns damals allein gelassen mit unseren Fragen und mit unseren Problemen. «Ihr dürft nicht immer alles in Frage stellen!» «Ihr müßt eigene Antworten finden!» Natürlich die richtigen! Sie lassen uns jetzt wieder allein. Sie plappern uns die Sprüche vor, die sie von irgendwelchen Wessies gehört haben. Sie geben uns überhaupt keine Rückendeckung.

Als die Studenten für die Erhöhung ihres Grundstipendiums vor der Volkskammer demonstrierten, haben wir Journalistikstudenten uns mit unseren Ausweisen reingemogelt und Abgeordnete befragt, was sie so mit 200 Mark machen würden. Eine CDU-Abgeordnete sagte, sie hätte vier Jahre lang studiert mit 200 Mark monatlich. Ohne dazuzusagen, daß das ganz andere Zeiten waren, wo das Brötchen fünf Pfennige kostete. Wir wurden beschimpft als Dreck von der Straße. Wir hätten die Bannmeile einzuhalten. Da dachte ich, mein Gott, unter denen sind sicher viele, die vierzig Jahre lang stillgehalten haben und die bestimmt viele Jugendliche fertiggemacht haben. Und jetzt stehen sie da und machen uns wieder fertig. Einer hatte den typischen Yuppieton. Jung und dynamisch! Der sagte: Ihr müßt euch endlich eine andere Gangart angewöhnen, weg von den Sozialhilfeempfängern. Es war eigentlich auch lächerlich. Und dann habe ich mir vorgestellt, daß dies nun unsere Volkskammerabgeordneten sind.

Innerhalb der Studentenschaft gibt es natürlich viele Diskussionen. Und die Studenten sind auch noch mal so ein Völkchen für sich. Da muß man aufpassen, daß man den Draht zu den anderen Leuten nicht verliert.

20. Juli 1990

Paulus

Mir geht das Ganze zu langsam. Das ist ein völlig unnötig verzögerter Prozeß. Die Menschen möchten gern, daß es schneller geht, aber einige Leute sitzen jetzt in den Sesseln der Macht, und die möchten nicht so schnell wieder raus. Ich würde von Zusammenbruch und Neuaufbau reden. Ansonsten ist für mich die Zeit, wenn ich an das Trauma der letzten Jahre denke, sehr positiv.

Ich habe mich gewehrt. Bin jahrelang als Liedersänger durch die Lande gezogen, dort steht noch die Gitarre. Wer mich kennt, der weiß das auch.

Den Herbst habe ich aktiv erlebt. Für mich war absehbar, was kam. Viele hatten das Gefühl, so geht es nicht weiter. Ich habe Freunde in den USA, die dort in den Kirchen arbeiten, Pastoren. Sehr gute Freunde. Die sind hierhergekommen, wir haben gemeinsame Konferenzen veranstaltet. Es ging um den Aufbau der Gemeinden. Wäre ich nicht DDR-Bürger, noch, würde ich wahrscheinlich in den USA leben. Das ist ein phantastisches Land, von dem man viel lernen kann.

Der Herbst war aber auch eine harte Zeit. Man war ständig überaktiv. Das Fahren nach Leipzig, montags zur Demonstration. Ich habe damit angefangen, später waren auch andere Pfarrer und Gemeindemitglieder dabei. Als es auch hier lief, immer dienstags, haben wir uns das verkniffen. Auf dem Dorf fällt die Auseinandersetzung weitgehend aus. Einer kennt den anderen, einer ist auf den anderen angewiesen. Parteiliche Dinge spielen nicht so eine entscheidende Rolle, außer bei einigen Leuten, die sich extrem verhalten haben, Polizisten und so was. Die noch die eigene Mutter kontrolliert haben.

Ich muß immer an einen Mann denken. Kurz vor meiner Ordination hat mich hier ein Staatssicherheitsoffizier besucht und gesagt, er könne mir helfen, daß ich zu solchen Kongressen fahren könnte. Ich habe das sofort meinem Superintendenten gemeldet, weil mir klar war, wenn ich mich darauf einließe, dann wäre ich erpreßbar. Ich nehme an, sie haben das deswegen gemacht, weil ich mit den Leuten von der Abteilung Inneres einen guten Stil pflegte. Deswegen galt ich wahrscheinlich als kontaktfreudig. Und solche Leute mochten die. Ich bin jedenfalls froh, daß jetzt alles so gekommen ist und die «Herren» sich geirrt haben.

Ich bin bei meinen Großeltern aufgewachsen. Mein Großvater war alter Sozialdemokrat. Ein Ernst-Thälmann-Typ. Diese typische Mütze, eine verschlissene Lederaktentasche unterm Arm. Heizer. Er hat mir die Liebe zu Büchern beigebracht. Kann man sich nur wünschen.

Doch, er war sehr autoritär. Also, ich hätte mir nicht erlauben können, mit einer Vier nach Hause zu kommen. Das konnte nämlich gefährlich werden. Ja, ich bekam auch Prügel. Aber beklagen kann ich mich nicht. Meine Kindheit war okay. Meine Großmutter war im Waisenhaus groß geworden und handelte mehr aus dem Pflichtgefühl heraus. Als mein Großvater starb, war ich elf Jahre alt und ziemlich auf mich gestellt. Zu meinen Eltern hatte ich keine Beziehungen. Natürlich habe ich mich nicht geliebt gefühlt, aber das überwindet man, wenn man später Anerkennung und Erfolg hat. Erfolg, das steht schon in der Bibel. Kein Mensch kann ohne Erfolg, ohne Anerkennung glücklich sein. Das ist etwas Positives. Wir Deutschen interpretieren es als etwas Egoistisches, Schlimmes, von dem man nicht spricht. In dieser Beziehung habe ich viel von den Amerikanern gelernt.

Ich bin Jahrgang sechsundfünfzig. In der Schule war ich nur in den Fächern, die mir Spaß gemacht haben, gut. Ich bin dreiundsiebzig aus der Schule gekommen. Mathematik und Naturwissenschaften haben mich nie sonderlich interessiert. Heute ist das ein bißchen anders. Heute würde ich ganz gern ein paar Semester Betriebswirtschaft studieren.

Ich bin Maschinenanlagenmonteur. Ein metallbearbeitender Beruf war Voraussetzung für die Offiziersschule, bei der ich mich beworben hatte. Mein Großvater war zutiefst religionsfeindlich gewesen, und demzufolge war ich es auch. Er hat mir die Religionen in den finstersten Farben dargestellt. Mit vierzehn Jahren, als das Bewerberkollektiv in die Schule kam, habe ich mich zur Armee verpflichtet. Ich habe immer gern geschossen.

Ich habe die zehnte Klasse mit Drei abgeschlossen, weil ich kein besonderes Interesse hatte. Man wußte ja, daß man dann durchkam. Während meiner Lehrzeit habe ich mich mit einem Umsiedler aus Oberschlesien, der Katholik war, angefreundet. Für mich war vor allem der Zusammenhalt seiner Familie sehr schön, das hatte ich ja nie erlebt. Verschiedene Generationen wohnten zusammen. Die Großmutter lebte mit ihnen. Die Schwiegerkinder brachten ihre eigenen Eltern mit. Sie hatten ein Haus, in dem später drei Familien lebten. Man merkte deutlich, daß der Katholizismus dort die Mitte abgab.

Mit achtzehn wurde ich Parteimitglied. Mein Großvater war in der Partei gewesen, und für mich stand fest, ich gehe auch in die Partei. Andere Beweggründe weiß ich nicht. Natürlich will man einer Gruppe zugehören, in der man Bestätigung erfährt. Wir waren gefühlsmäßig so erzogen, daß wir im ständigen Konsens mit Staat und Gesellschaft zu leben hatten. Und wenn das nicht so war, hat das negative Gefühle ausgelöst.

Ich habe meine Lehre vorzeitig beenden dürfen und bin zur Armee gekommen. Ich hatte mich für fünfundzwanzig Jahre verpflichtet. Das war vor fünfzehn Jahren. Ich bin jetzt vierunddreißig.

Was mir sofort an die Nieren gegangen ist, war der Ton, dieser rüde Befehlston. Die unsinnige Art und Weise der Offiziere, sich zu produzieren. Einmal bekamen wir einen neuen Zugführer. Der war gerade zum Hauptmann befördert worden und in der Truppe unfähig. Deshalb kam der zu uns. Mit Offiziersschülern konnte man es ja machen. Ich hatte ihn anscheinend durch irgend etwas provoziert und mußte nach einigen Tagen bei ihm antreten. Er lag in Stiefelhosen und Unterhemd in seinem Zimmerchen auf dem Bett. Ich wurde angeschrien, was ich mir einbilde. Wir würden uns erhaben fühlen, wir Abiturienten. Er werde uns zeigen, wo der Hammer hänge. Darauf sagte ich: «Entschuldigen Sie, Genosse

Hauptmann, ich habe gar kein Abitur.» Was ihn völlig aus dem Konzept brachte.

Solche Sachen waren das eben. Schikaniererreien. Einmal erschien in einem Hörsaal ein Politoffizier, brüllte rum, und alles stand sofort stramm. Ich dachte wirklich, es bricht der Krieg aus. So etwas können Sie sich gar nicht vorstellen. Das hat bei mir, ruck, zuck, noch innerhalb der ersten vier Wochen, ausgelöst, daß ich mir sagte, hier gehst du weg. Nach drei Wochen hatte ich die erste Erklärung abgegeben. Ich bin dann nicht vereidigt worden. Meine Mutter war zur Vereidigung gekommen. So eine Vereidigung war ja eine große Liturgie: der Stechschritt, die hochheilige Fahne, die immer unter Klängen herausgeholt und wieder eingebracht wurde, das hatte Wirkung. Ich habe erlebt, wie Leute bei Offiziersernennungen beim Stechschritt vor Begeisterung aufgestanden sind.

Ich wurde von meiner Mutter und von allen Seiten befragt. Ich bin einfach mürbe gemacht worden und habe das zurückgezogen. Das war in Sachsen. Und noch jahrelang, wenn ich später mit dem Zug in diese Richtung fuhr, bekam ich unangenehme Gefühle in der Magengegend.

Im Oktober fünfundsiebzig war ich soweit, daß ich zu allem fähig gewesen wäre. Ich solch einer Zeit, in der man merkt, es stimmt etwas nicht, macht man sich Gedanken über das Leben. Ich habe mir auch vorher schon Gedanken gemacht, einfach so, woher denn nun alles kommt. Letztendlich wird ja auf «die letzten Fragen» keine Antwort gegeben. Ich habe so etwas einfach mal so geäußert, im Gespräch. Ich habe erst später gemerkt, daß wir auch welche mit karminrot umrandeten Schulterstücken hatten, Stasileute, die mit uns ausgebildet wurden. Ich wurde dann regelmäßig zum Kompaniechef zitiert und gefragt, wie ich denn zu solchen Ansichten käme. Das hat mich nur zu mehr Opposition veranlaßt. Man versuchte, mich weich zu kriegen. Ich war verzweifelt. Überlegen Sie mal, ich war gerade achtzehn, neunzehn Jahre alt.

Ich weiß noch, wie ich in den Zug einstieg, und wie ich dachte, wer kann dir denn nun noch helfen. Plötzlich dachte ich an Gott.

Er war der einzige, der mir noch helfen konnte. Und mit einemmal betete ich. Ich hatte ja keine Ahnung davon. Wußte gar nicht, was man da sagen sollte. Es war einfach ein Hilfeschrei.

Nein, mit der Lage der Kirche hier im Staat hatte das nichts zu tun, das muß ich zurückweisen. Es war eine höchst persönliche innere Angelegenheit. Das hat mit Bekenntnis überhaupt nichts zu tun, das habe ich eher gefürchtet. Die traditionellen Kirchen tragen sich mit einer Symbolik herum, die der moderne Mensch nicht versteht. Ich möchte die Kirche für jeden, der reinkommt, sofort verstehbar machen. Ich habe tagelang gebetet. Etwa so: «Wenn es dich gibt, Gott, dann hilf mir. Wenn du mir hilfst, mußt du mich auch zu dir führen. Denn ich kann das nicht allein.» Zunächst passierte gar nichts. Ich habe dann einen Plan gemacht, sagte, ich sei krank. Aber ich war nicht krank und wurde natürlich der Simulation verdächtigt. Ich habe nichts gegessen und getrunken. In der Verzweiflung erreicht man ganz schöne Willenskraft. Das hat dann doch zu einigen Symptomen geführt. Die Ärzte waren unsicher. Und ich mußte monatelang in das zentrale Lazarett in Bad Saarow fahren. Bekam immer in einem Umschlag das Gesundheitsbuch mit. Da standen die Eintragungen der Ärzte drin. Ich hatte Klebstoff und Rasierklinge bei mir. Die untersuchten mich und fanden natürlich nichts.

Einmal fragte mich der Arzt, ob ich denn nun tauglich sei oder nicht und schrieb irgendeine Nummer. Da kam mir ein Gedanke. Ich habe eine linksseitige Augenmuskellähmung, die nicht mehr so deutlich ist, weil ich operiert worden bin. Als ich in Bad Saarow an der Augenabteilung vorbeikam, habe ich einfach geklopft. Der Arzt sah sich das an und sagte: «Wie sind Sie eigentlich auf die Offiziersschule gekommen, Sie sind doch völlig untauglich.» Der hat mir das sofort schriftlich bestätigt, und ich bin nach ein paar Wochen als Offiziersschüler ausgemustert worden, mußte aber den Grundwehrdienst machen, also noch acht Monate abbrummen. Die anderen, die merkten, es war mir gelungen, mich abzusetzen, waren plötzlich haßerfüllt.

An Gott habe ich überhaupt nicht mehr gedacht. Ich hatte mein Ziel zunächst erreicht. Ich wurde versetzt und kam dort in die Küche, mußte Teller abwaschen. In dem Gebäude, wo wir gewohnt haben, waren auch Bausoldaten untergebracht, Leute, die den Wehrdienst, wie man so sagte, aus Glaubens- und Gewissensgründen verweigerten. Mit denen habe ich mich ganz schnell angefreundet. Zunächst gingen sie allerdings mal auf Distanz zu den ehemaligen Offiziersschülern. Von denen gab es etliche, die nannte man die Verkappten. Es passierte, daß ich mit einigen Bausoldaten zusammensaß, und plötzlich kamen andere rein, brachten Bibeln und Losungsbücher, und sie fingen an, eine Andacht zu halten. Ganz privat, ohne Pfarrer. Haben sich Bibeltexte vorgelesen, sich darüber ausgetauscht und haben gebetet. Ich fragte, ob ich weiter daran teilnehmen könnte. Die hatten nichts dagegen. Ich habe mit der Bibel zum Beispiel bei Markus 13 angefangen, da wird über die Endzeit geredet. Ich habe mir den Vers gemerkt: «Wer aber ausharrt bis zuletzt, der wird gerettet werden.» Monate später, als ich mich nachkonfirmieren ließ, habe ich festgestellt, daß dies mein Taufspruch war.

Ich habe bei der Bibel immer stärker gemerkt, daß mir da ein Quantum an Wahrheit herüberkommt, das hat mich einfach überzeugt. Das betrifft vor allem das Neue Testament. Ganz schnell war ich in einem Konflikt zu dem, was früher war. Ich bin kein Mensch, der zwischen zwei Welten leben kann.

Das ist ja immer das Problem. Während ich mit Ihnen spreche, suchen Sie eine psychologische Erklärung dafür. Wenn ich Ihnen sage, die stimmt nicht, würden Sie mir das wahrscheinlich gar nicht glauben. Ich erzähl's Ihnen trotzdem mal weiter. Ist ja egal.

Gott war jetzt auf dem Weg, mich zu sich zu führen. Für Sie mag es vielleicht Zufall sein, für mich ist es keiner. Wenn ich nicht versetzt worden wäre, hätte ich diese Leute nicht kennengelernt. Von mir aus wäre ich nämlich nicht gekommen, dazu hatte ich viel zuviel Angst.

Einer, mit dem ich mich besonders angefreundet hatte, sagte eines Tages zu mir, daß es für mich wichtig sei, mich zu entscheiden. Bekehrung heißt nichts weiter als Umkehr. Man geht von einem falschen Weg auf einen richtigen.

Ich fragte: «Wie machen wir denn das?»

Er sagte: «Wir treffen uns mal, Sonntagabend. Die meisten haben dann Ausgang oder sind in der Küche. Da sind wir allein.»

Als wir uns trafen, war ich gespannt, was wir machen würden, und er sagte: «Ganz einfach, wir beten zusammen.»

Und das war genau, was ich wollte.

Für mich ergaben sich völlig neue Perspektiven und Möglichkeiten. Viele Dinge habe ich erst im Laufe der Zeit verstanden.

Das führte natürlich zu der Konsequenz, daß ich aus der Partei austreten mußte. Manche warfen mir damals vor, ich hätte es nur aus Opposition zu unserem Staat getan. Aber das ist nicht die Wahrheit. Mir ging es um Jesus Christus. Heute könnte ich es ja zugeben, wäre es anders gewesen, mich sogar zum Helden machen.

Wir haben zusammen gebetet, und ich habe gesagt: «Herr Jesus Christus, komm du nun in mein Leben.» So ungefähr. Glaube ist auch eine Sache der Entscheidung, keine Sache des Gefühls. Ich habe jedenfalls keins gehabt, das war das Problem. Ich bin an diesem Abend ins Bett gegangen und habe mir gesagt: So, Gott, du weißt genau, daß ich es ehrlich meine, aber fühlen tue ich nichts. Und so war ich also Christ. Ein paar Tage lang war ich danach von einer großen Freude erfüllt. Und etwas davon hält bis heute an. Ich merkte, Gott war lebendig. Ich hatte ihn um etwas gebeten, und er hat das alles für mich getan. Bei mir kommt es ganz selten vor, daß ich mal ein emotionales Erlebnis habe.

Das wichtigste ist mir die Erfahrung, nicht mehr von Menschen abhängig zu sein. Ich gebe den Landeskirchen, den sogenannten Volkskirchen, die gar keine sind, keine Zukunft. Weil sie keine Ausstrahlung haben. Weil von den Gemeindegliedern, die in der Kartei stehen, die also irgendwann einmal getauft worden sind, nur fünf Prozent praktizieren. Allerdings überlebt die Kirche vieles. Ja, es gibt Gemeinsamkeiten zur Partei. Schon im Sprachgebrauch. Die ewige Wahrheit. Die ewige Verbundenheit.

Mein Parteiaustritt war Spitze. Ich kam in meinen Betrieb zurück, sollte auf eine Parteischule. 1976, Silvester, habe ich meine Austrittserklärung gleich ins Mitgliedsbuch reingelegt und abgegeben. Da passierte erst mal gar nichts. Silvester arbeitete man nicht, da brutzelte man ein paar Steaks. Und da kam zufälligerweise das Gespräch auf das Thema Kirche. Worauf ich sagte: «Ich bin jetzt auch Christ.» Darauf sagten sie: «Du spinnst ja!»

Ein paar Tage später wurde ich in die Parteizentrale des Betriebes gerufen. Es war eine merkwürdige Situation. Es standen einige Tische quer, der Parteisekretär saß da hinter mehreren Telefonen und telefonierte an zweien gleichzeitig. Weiter waren der stellvertretende Parteisekretär und der von meinem Bereich da. Ich brachte so eine Umhängetasche mit, in der meine Klamotten waren, die legte ich vor mich auf den Tisch. Als der nun fertig war mit Telefonieren, ging er sofort zu einer Schimpfkanonade über. Besonders die Tasche ärgerte ihn, weil da ein Kassettengerät drin sein könnte. Genau kann ich mich an das Gespräch nicht mehr erinnern. Man versuchte, mir Fangfragen zu stellen. Als alles nichts half, wurde gedroht. Ich habe einfach gesagt, wie es war. Die haben mir das nicht abgenommen, haben sich veralbert gefühlt. Schließlich hat der Sekretär gesagt: «Es hilft nichts, dann streichen wir ihn eben.» Das war's. Ich konnte gehen. Allerdings wurde im Betrieb verbreitet, mir sei ein Engel erschienen. Ich wurde also lächerlich gemacht. Ich bin dann in einen anderen Betrieb gegangen.

Für mich ist eigentlich die wichtigste Sache, seit ich Christ geworden bin, andere zu Christus zu führen. Das prägt meine Arbeit bis zum heutigen Tag. Neunundsiebzig habe ich angefangen, Theologie zu studieren. Erst in Leipzig, später in Halle. Die in Halle sagten: «Wir nehmen Sie gerne. Aber wir brauchen noch eine Bestätigung, daß Sie aus der Partei ausgetreten sind.»

Da bin ich in die SED-Kreisleitung gegangen und habe so eine Bestätigung verlangt. Die waren verblüfft und haben gleich einige Genossen zusammengetrommelt. Ich habe zu verstehen gegeben, daß ich nicht bereit wäre, blöde Diskussionen zu führen. Die fanden mich zwar in ihrer Kartei als gestrichen, waren aber nicht bereit, mir das zu bestätigen.

Diese Tatsache: der ist aus der Partei ausgetreten und ist jetzt bei der Kirche, hat mir so eine Art Immunität verschafft. Die «Genossen» waren immer irgendwie ratlos. Man hat versucht, mich noch einmal einzuziehen. Als sie meine Unterlagen bekamen, waren sie so verblüfft, die wollten mit mir nichts mehr zu tun haben.

Es gibt mehrere Leute in der Kirche, oft die wirklich guten, die irgendwann so ein Pauluserlebnis hatten. Sicher wurde mir von einigen Leuten in der Kirche mißtraut. Die hatten Angst, ich könnte von der Stasi geschickt sein. Das hat mir am Anfang ganz schön weh getan. Das ist immer so, wenn plötzlich jemand missionarisch ist. Ich hatte natürlich mehr Begeisterung in der Kirche erwartet.

Mein Studium habe ich sehr gut gemacht. Für mich war es ein Schlüsselerlebnis, erst einmal zu lernen, wie man lernt. Das war auch der Ausgang, mich später mit Fragen wie Management, Organisation, Selbstmanagement zu befassen.

In Halle habe ich meine Frau kennengelernt. Meine beiden Töchter sind in der Zeit geboren worden. Jetzt bin ich seit vier Jahren hier als Pfarrer. Ja, man wird in Thüringen gleich ins Wasser gestoßen. Das ist gar nicht schlecht. Es wird immer Leute geben, die mit einem nicht klar kommen. Ich entsprach nicht unbedingt den Erwartungen an einen Pfarrer. Diese Erwartungen gingen völlig vor den Baum.

Ich wünsche mir jetzt ordentliche kapitalistische Verhältnisse. Ich befürworte das Leistungsprinzip. Das würde ich mir übrigens in der Kirche wünschen. Ich bin dafür, daß die Kirchensteuer abgeschafft wird und daß die Gemeinden ihren Pfarrer selber bezahlen müssen. Und daß der Pfarrer entsprechend, wie seine Gemeinde wächst, bezahlt wird. Das Pfarrergehalt war nie hoch in der DDR, trotzdem hat man sein Auskommen, und dann läßt man die Dinge eben plätschern und laufen. Ich möchte eine erwachsene Gemeinde haben. Ich bin zur Ausbreitung des Evangeliums verpflichtet, dafür brauche ich Zeit. Deshalb meine straffe Planung. Weil man nämlich sonst über lauter Krimskrams und Verwaltungsarbeiten nicht zu den wesentlichen Dingen kommt.

Sie brauchen sich nur einmal den Zustand des Geländes, des Hauses und der Kirche anzusehen – alles hat unter den vierzig Jahren Sozialismus gelitten –, dann werden Sie verstehen, daß hier unheimlich viel Kraft auch für Äußerlichkeiten aufgewendet werden muß. Es gibt ja eine gewisse Soziologie im Dorf. Das sehen die Leute, wenn da zum Beispiel ein Garten verkommt.

Meine Begeisterung für den Kapitalismus hängt auch mit meinem Glauben zusammen. Es gibt ja Soziologen, Max Weber zum Beispiel, die gesagt haben, in der protestantischen Arbeitsethik liege die Begründung für den Kapitalismus. Ein bißchen Wahrheit ist natürlich dran. Das hat auch einen negativen Beigeschmack. Der Protestant kann sich totarbeiten. Er kann nicht genießen. Die Protestanten können nicht feiern. Ein furchtbar steifer, verintellektualisierter, verkorkster Verein. Aber es gibt durchaus lebendige Gemeinden. Das sind meistens Freikirchen.

In den USA, wo es wachsende Gemeinden gibt, das sind einfach Unternehmerkirchen. Die standen unter dem Zwang, den eigentlichen Aufgaben nachzugehen. Natürlich muß man den Kapitalismus humanisieren, aber daß in der Kirche ständig irgendwelche Ersatzthemen aufkommen. Dieses Gesichertsein in einer Institution hat wesentlich dazu beigetragen, daß die eigentliche Botschaft zu kurz kommt. Die Gemeinde Jesu wächst ja weltweit. Die traditionellen Kirchen bröckeln ab. Die jungen, die neuen Kirchen, die Pfingstkirchen vor allem, haben die längst überrundet. Die haben nicht das Problem mit leeren Gottesdiensten, die wissen nicht wohin. Die machen zehn bis zwölf Gottesdienste pro Tag. Und daß die USA ein gesegnetes Land sind, hängt meiner Meinung auch damit zusammen, daß Gott diesen Glauben segnet.

Hier stellt man Forderungen, ohne etwas erwirtschaftet zu haben. Ich halte es für Wahnsinn, daß sich die Arbeiter jetzt gerade ihre Arbeitsplätze wegstreiken.

Im Prinzip hat die Volkskirche auf dem Lande im großen und ganzen mit Kirche und Jesus Christus überhaupt nichts zu tun. Im eigentlichen Sinne. Das ist nur dafür da, daß man Anknüpfungspunkte findet, zum Beispiel durch die Taufe. Daß die Leute eben wissen, sie gehören zur Institution dazu. Das ist der einzige Vorteil. Aber ansonsten kommt die Struktur aus dem Mittelalter. Im Sozialismus war es ja genauso, man arbeitete mit völlig veralteten Instrumenten. Genauso ist es eben bei uns heute noch. Und das Resultat ist, daß sich viele Leute logischerweise nach dem Nutzen fragen und sich sagen, wozu soll ich eigentlich Kirchensteuern bezahlen. Mit Recht. Ich verstehe das zutiefst. Denn die eigentliche Botschaft kommt ja bei den Leuten gar nicht an. Die Kirche ist ein soziologisches Faktum, ein Kulturträger. Ein Christ ist ein anständiger Mensch, meinen viele. Also, entschuldigen Sie, es gibt auch anständige Kommunisten. Ein Christ ist ein Mensch, der zutiefst in seinem ganzen Leben an die Person Jesu Christi gebunden ist. Das ist ein Christ. Es kann doch nicht jeder für sich bestimmen, was ein Christ ist. Aber die Mentalität, die in den Jahrhunderten durch die Ehe zwischen Thron und Altar erzeugt worden ist, ist der Kirche in ihrer Substanz schlecht bekommen.

Ich stehe nicht im ernsthaften Konflikt mit meiner Kirche. Diese Dinge werden ja innerhalb der Kirche diskutiert. Nein, gegen politische Betätigung habe ich nichts. Wenn es aber einen gewissen Umfang annimmt, sollte man als Pfarrer aufhören. Also, man kann nicht beides machen. Das Evangelium hat schon politische Auswirkungen, aber es muß nicht unbedingt ein Pfarrer sein, der das nun austrägt. Es ist für mich befremdlich und auch interessant, wie in der Volkskammer überall die Pfarrer drinsitzen. Und wie da dann gefightet wird. Die fassen sich nicht gerade mit Samthandschuhen an. Das ist doch eine schwierige ethische Frage, Politik ist immer mit Kampf, mit Auseinandersetzung und auch mit Verletzung behaftet. Es ist schon merkwürdig, wenn sich Christen untereinander so beharken, aus politischen Gründen. Ich finde es interessant, aber ich kann mir kaum vorstellen, daß man ein gutes Gewissen hat oder auch als Christ leben kann, wenn man mit der Macht zu tun hat.

Mir fällt auf, die amerikanischen Pastoren halten sich in der Regel sehr raus. Sie halten sich für beide großen Parteien offen. Sie geben auch Statements ab, aber wirklich Politik machen nur wenige.

Eine Partei, die aus Christen besteht, die gibt es nicht. Eine ist vielleicht christlicher als die andere. Zum Beispiel die wichtige Frage der Abtreibung. Für mich ist das ganz klar Kindestötung und nichts anderes. Und von daher halte ich es für berechtigt, daß Christen zu solchen Fragen Parteien oder Gruppen bilden. Es gibt hier in der DDR «Kaleb» oder die «Partei Bibeltreuer Christen». Ob ein Pfarrer mit gutem Gewissen überhaupt in einer Partei sein kann? Andererseits kann ich es nicht ausschließen. Denn es geht ja nicht, daß die Christen ihre Stimme nicht erheben. Äußern sie sich nicht, laufen sie Gefahr, damit auch schuldig zu werden, wie im Dritten Reich.

Ich bin überhaupt nicht für den Religionsunterricht in der Schule, weil das für mich ein Relikt aus der Staatskirche ist, die ich zutiefst ablehne. Ich fände einen neutralen Bibelunterricht aus kulturellen Gründen gut. Unterhalten Sie sich doch mal mit Jugendlichen aus der Bundesrepublik, die sind nicht gerade erfreut über Religionsunterricht. So wie die Leute hier die Jugendweihe mitgemacht haben, so machen die auch wieder eine Taufe oder eine Konfirmation mit. Das hat aber beim besten Willen mit dem Evangelium nichts zu tun. Ich bin dagegen, daß man Dinge des Glaubens nimmt, um auf einer staatlichen Ebene einzusteigen. Die Kirche sollte sich erst mal darum kümmern, daß ihre Gottesdienste wieder voll werden, das scheint mir wichtiger zu sein. Für mich ist es total unglaubwürdig, wenn wir leergefegte Kirchen und auf der anderen Seite ein breites politisches Engagement haben.

Es ist jetzt die Chance zu einer neuen Sozialisation. Aber das werden nur die Pfarrer und Christen machen, die sich vom eigentlichen Auftrag der Kirche gerufen fühlen. Und der lautet: Geht hin und macht Menschen zu Jüngern.

9. August 1990

Den Lauf der Gestirne berechnen

Ich habe ernste Zweifel, ob das mit uns etwas wird. Das Ungewöhnliche reizt mich zwar, und ich möchte zur Bewältigung der Vergangenheit beitragen. Wenn Sie mich allerdings psychoanalytisch zergliedern wollen, habe ich Bedenken. Aber ich kann schwer nein sagen.

Sicher muß noch viel geschehen, damit die Leute etwas begreifen. Das Volk hat sich neue Herren gewählt und ordnet sich nun denen unter. Das tolle Wahlergebnis der CDU schockiert mich. Allerdings auch, daß in Berlin dreißig Prozent PDS gewählt haben. Wenn jetzt Wahlen wären, ich wüßte überhaupt nicht, was ich wählen sollte. Das Bündnis 90 hat sich nun in der Volkskammer auch seltsam gegeben.

Ich bin verheiratet und habe zwei Kinder. Die Tochter ist gerade ausgezogen. Jetzt haben wir mit dem Sohn große Probleme. Er wollte Physik studieren und hat ab Herbst einen Studienplatz. Nun weiß er nicht mehr, was er will. Hat sich in den Kopf gesetzt, daß Wissenschaft bloß Unheil anrichten kann, selbst wenn er sich auf Aspekte beschränkt, die mit dem Erhalt der Umwelt zu tun haben. Er war mit großer Begeisterung dabei. Jetzt fühlt er sich von der Wissenschaft abgestoßen, ohne sich woanders hingezogen zu fühlen.

Ich bin theoretischer Physiker. Jetzt muß jeder einzelne ein Papier über seinen Werdegang und seine Leistungen verfassen. Ich habe eigentlich keine Ängste um meinen Arbeitsplatz. Selbst wenn wir zusammenschrumpfen, glaube ich, daß ich Chancen habe. Aber vor den nächsten Monaten graut mir. Ich habe mich im Betriebsrat des Instituts engagiert. Die ersten Entlassungen... Das ist jetzt so die Ruhe vor dem Sturm.

Es geht aber auch nicht wie bisher, wo immer gesagt wurde,

jetzt wird alles ganz anders. Und dann schrieb man ein paar Berichte in der neuen Färbung, und alles ging im alten Gleis weiter. Leider ist von westlicher Seite eine ziemliche Arroganz dabei. Das Entfilzen ist natürlich auch schwierig. Leute wie ich, die vierzig Jahre in der inneren Emigration gelebt haben, die sind jetzt nicht plötzlich fähig, einen größeren Leitungsposten auszufüllen. Man möchte lieber von dem Fachlichen noch einiges durchziehen.

Die Wende kommt vierzig Jahre zu spät. Für mich persönlich mindestens zehn Jahre. Damals hatte ich tolle Einladungen und konnte nicht reisen. Das war sehr demütigend. Ich bekam Anrufe aus USA, sie wollten eine kleine Konferenz veranstalten, sich mit dem Termin nach mir richten. Nichts. Dann erhielt ich eine unbefristete Einladung nach Los Alamos. Mit Übernahme sämtlicher Kosten. Daraufhin wurde ein Reisekaderverfahren eingeleitet. Es hat ein Jahr und fünf Monate gedauert, bis ich das Nein hatte. Wo diese Entscheidung getroffen worden ist und aus welchem Grund, ob meine alte Geschichte eine Rolle spielte oder ob ein Nachbar aus dem Haus etwas Schlechtes über mich gesagt hat, das wußte man ja nicht. Im Moment hatte ich nur ein Gefühl der Erleichterung. Jetzt weißt du wenigstens, wie du dran bist. Aber ein paar Wochen später habe ich mich geärgert, daß ich nicht auf die Barrikaden gegangen bin.

Meine Arbeit habe ich manchmal Selbstbefriedigung am Schreibtisch genannt. Eine Wut habe ich schon. Aber das ist mehr anonym. Ich weiß nicht, was ich meinem Institutsdirektor vorwerfen kann, der mich immer freundlich behandelt, sich aber sicher nicht sonderlich für mich eingesetzt hat. Ob er etwas für mich tun konnte, ich weiß es nicht.

In meiner Arbeitsgruppe waren Genossen, die sind auch ins Fettnäpfchen getreten. Der eine hat es abgelehnt, in die Militärforschung einzutreten. Da war er dann natürlich tot. Einer ist aus der Partei rausgeflogen, wegen pazifistischen Verhaltens. Also die Parteimitgliedschaft hat denen nicht gerade für die Karriere genützt. In meiner unmittelbaren Umgebung gibt es eigentlich den richtigen Typ des Karrieristen nicht.

Mein Vater war Schlosser, ist 1939, als ich vier Jahre alt war, eingezogen worden und kam 1946 aus englischer Kriegsgefangenschaft zurück. Wir hatten zu Hause eine kleine Landwirtschaft. Die anderen konnten ungebunden Ferien machen, und ich mußte mich immer für die Ernte bereithalten. Häuslermilieu, würde ich sagen, 1,25 Hektar, «Selbstversorger». Ich bin mit meinen Problemen eigentlich nie zu meiner Mutter gegangen, die hatte es selbst nicht leicht, ich habe lieber alles mit mir selbst abgemacht. Ich war also nicht nur «Arbeiterkind» oder «Bauernkind», sondern «Arbeiter-und-Bauern-Kind». Ich habe manchmal gesagt, ich müßte doppeltes Stipendium bekommen. Mein Leistungsstipendium wurde nach dem Physikerball gestrichen.

Meines Elternhauses habe ich mich nie geschämt. Wir waren so die Kleinen. Unser Nachbar, mit dem mußten wir uns gut stellen, der hat unser Feld mitbeackert. Wenn die natürlich mal eine Hilfe gebraucht haben, mußten wir auch einspringen. Noch heute liegt es mir nicht, wenn ich in eine Gruppe komme, den King zu spielen.

Bei der Kollektivierung hat mein Vater ganz unnötigerweise unterschrieben. Und wir hatten dann Mühe, uns wieder rauszuwinden, daß wir nicht noch eine Arbeitskraft stellen mußten. Das Land ist heute noch im Besitz der LPG, und das interessiert mich jetzt natürlich auch, wie das so weitergeht.

Meine Mutter war der ruhende Pol. Mein Vater war rastloser. Ich wollte zum Beispiel nicht alles essen, noch heute nicht, da gab es mit meiner Mutter Kämpfe. Aber letzten Endes habe ich mich immer durchgesetzt.

1954 habe ich einen Ausflug in die Bundesrepublik gemacht. Ein Freund, mit dem ich per Fahrrad in die Alpen wollte, hatte mich versetzt, und ich kam bloß bis Kassel. Das war in dem Jahr ganz einfach. Man mußte aufs Prorektorat, bekam einen Schein, und dann ging das bei der Polizei ganz zügig. Drüben hatte ich kein Geld. In Jugendherbergen hat man uns anfangs nicht aufgenommen. Eine Nacht habe ich in einem Obdachlosenasyl zugebracht. Das war mein einziger Ausflug.

Im Jahr 1956 war unser Semester dran, den jährlichen Physikerball vorzubereiten. Es war Tradition, das mit viel Elan und Zeitaufwand zu tun. Von den Vorjahren her war es üblich, auch politisch etwas zu riskieren, ein paar Witze zu machen. Im Herbst 1956 war Ungarn aktuell. Einer hatte sich etwas ausgedacht. Als wir dann nach Hause gingen, sagte ein anderer, so direkt dürfe man das nicht machen, besser wäre es, das in Form einer Fabel zu bringen.

Da hat es dann in mir gearbeitet: Ungarn – Fabel. Ich habe etwas ausgearbeitet und gereimt. Und als ich das vorlas, gab es kein Halten mehr. Ich war ein Illusionist. Daß eines Tages die Stasi vor der Tür stehen und mich einsperren würde, das habe ich überhaupt nicht erwartet. Merkwürdig war, daß uns das ja auch noch abgenommen wurde. Wir haben eine etwas heruntergespielte, aber trotzdem deutlich genug wirkende Generalprobe vor den Parteileuten gemacht.

Das Schlimme war nicht die Sache, sondern die Wirkung. Als ich danach durch die Straßen ging, wurde ich überall angesprochen. Das war Freitag gewesen, und ich kam Sonntag in mein siebzig Kilometer entferntes Heimatdorf, besuchte meinen Onkel, und da kannte der schon eine Szene davon.

Eine Woche lang ist nichts passiert. Dann gab es an der Wandzeitung einen Artikel. Das war natürlich ein Signal. Steenbeck war gerade aus der Sowjetunion zurückgekommen, der hatte den Physikerball miterlebt. Er sagte: «Ich finde nicht alles gut, was ihr da gemacht habt.» Aber er und die übrigen Professoren haben sich voll und ganz für uns eingesetzt.

In den Wandzeitungsartikeln wurde die Bestrafung der Schuldigen gefordert. Es gab Unterschriftensammlungen. Und wir haben eine Gegenaktion gemacht. Da muß ein Riesenberg von Unterschriften auf dem Schreibtisch des Rektors gelandet sein. In dieser Situation hatte man doch ein bißchen Angst davor zuzugreifen, da ist zunächst gar nichts passiert. Lediglich der Dahlem vom Politbüro war mal zu einer Diskussion da. Angst hatten wir nicht. Irgendwie haben wir uns sicher gefühlt. Und es war auch ein bißchen berauschend. Wenn Sie sich die Mensa in Jena vorstellen – in allen Sälen Tanz, und der Raum, wo die Bühne ist, war gestopft voll. Es müssen über tausend Leute dagewesen sein.

Die Sache war von der Stasi-Logik her so: Die Sache war erledigt. Die hatten auch das Versprechen gegeben, es passiert nichts mehr. Und dann geschah die Geschichte in Eisenberg. Es wurden Flugblätter gefunden, und einer von den Leuten war beim Physikerball dabeigewesen. Also schlossen die, der Physikerball wurde von der Eisenberger Gruppe organisiert.

Von dieser Gruppe ist einer nach dem anderen verhaftet worden. Ich habe absolut nichts damit zu tun gehabt. Wenn sie mir in dieser Beziehung auch nur das geringste hätten nachweisen können, dann hätte ich mindestens drei Jahre dafür bekommen.

Diese Gruppe hatte zum Beispiel an dem Tag, als die Nationale Volksarmee gegründet wurde, einen Schießstand der GST angezündet. Das sind schon kriminelle, aber doch zugleich pennälerhafte Handlungen gewesen. Das lag ein paar Jahre zurück. Dann haben die so was Dußliges gemacht, sind in ein Museum eingebrochen und haben einen Vorderlader geklaut. Sollte wohl so eine Art Mutprobe sein. Das machte sich später gut, als Waffenbesitz. Dann hatten sie ein Flugblatt produziert, das war aber gar nicht zur Verteilung gekommen, weil sie Angst gekriegt hatten.

1956 war der Ball gewesen: Im Frühjahr 1958 die Eisenberger Sache. Der Selbstmord eines Lehrlings lieferte der Stasi den Vorwand, das Ganze unter Mordverdacht laufen zu lassen, so daß die Leute vor Schreck viel mehr aussagten, als sie vielleicht sonst getan hätten.

In dieser Zeit hat man schon Angst gehabt. Ein Student nach dem anderen verhaftet. Wir wußten auch, was das für Autos sind und welche Nummern. Ich hatte mit meiner Wirtin vereinbart, daß sie, falls jemand nach mir fragt, das Rollo runterzieht. Die Leute waren da, das Rollo war nicht unten, und die waren schon in meinem Zimmer und sagten, sie wollten mich zu einer Unterredung holen. Aber im nächsten Moment hatten sie mir schon Handschellen angelegt.

Im Gefängnis mußte ich mich ausziehen, und dann passierte das alles, was so in den Gedächtnisprotokollen beschrieben steht. Daß sie einem in den Hintern gucken, ob man nicht einen Kassiber versteckt hat. Und dann wurde ich nachts geholt und angeschrien:

«Sie Drecksau!» Geschlagen wurde ich nicht. Verhört wurde ich in völlig unregelmäßigen Abständen. Manchmal drei Wochen überhaupt nicht. Angeschrien wurde ich nur am Anfang. Noch heute ärgere ich mich, daß ich nicht konsequenter war. Die Worte wurden einem im Mund umgedreht, und im Protokoll stand dann etwas ganz anderes, als ich gesagt hatte. Und wenn ich nun gewagt habe, daran herumzukritteln, wurde mir über den Mund gefahren. Schon allein, wenn von meiner Wirtin die Rede war... Dazu muß ich noch etwas sagen. Ich hatte ihr kurz vor meiner Verhaftung noch ein paar Sachen vom Physikerball zur Aufbewahrung gegeben. Und da habe ich dann erfahren, daß sie verhaftet ist. Doch das war auch wieder eine Vorspiegelung, sie ist erst später verhaftet worden. Sie muß ein schlechtes Gewissen gehabt haben, weil sie mich nicht gewarnt hatte. Und um das wieder auszuwetzen, hat sie Briefe an den Bayerischen Rundfunk geschrieben. Die sind natürlich abgefangen worden, und sie ist wegen Spionage zu zweieinhalb Jahren Zuchthaus verurteilt worden. Dort hat sie so einen Knacks gekriegt, daß sie danach nicht mehr lange lebte. Während der Untersuchungshaft hat mich das sehr belastet, weil ich mir Vorwürfe machte, daß ich die Frau mit reingezogen habe. Wenn von ihr die Rede war, habe ich gesagt: «Frau T.» Im Protokoll stand dann «die T.». Ich habe nicht gewagt zu protestieren. Zum Hohn stand noch drunter: «Dieses Protokoll entspricht in allen Teilen der Wahrheit. Meine Worte sind darin richtig wiedergegeben.»

Ich habe sieben Monate in Einzelhaft verbracht. Zweihundertundfünf Tage. Am schlimmsten waren die ersten sechs Wochen. Damals war die Vierhundertjahrfeier der Universität, und sie konnten keinen Prozeß gebrauchen, weil das internationales Aufsehen erregt hätte.

Einer der glücklichsten Tage meines Lebens war, als wir uns nach der Verurteilung alle in einer Sammelzelle wiederfanden. Wir waren richtig ausgelassen.

Das erste Vierteljahr überhaupt nichts, kein Buch, keinen Brief kriegen, keinen Brief schreiben. Ja, der Mensch übersteht manches. Ich hatte wenigstens ein Fenster. Pritsche, und dann zwei mal zwei Meter. Ich bin fast drei Wochen nicht draußen gewesen. Warum, weiß ich nicht. Mit den Bewachern kein Wort mehr als nötig.

Meinen Vernehmer würde ich nicht wiedererkennen, ich habe ein schlechtes Personengedächtnis. Den Namen habe ich nie erfahren. Der hat zwar seine Unterschrift druntergesetzt, aber immer darauf geachtet, daß ich das nicht sehe.

Ich kann mich an eine Situation erinnern, wo sich der Vernehmer mit einem Kollegen über irgendwelches Schulungsmaterial unterhalten hat. Das habe ich als widersinnig empfunden, weil ich mir dachte, ihr Sadisten braucht doch keine Schulung. Das ist doch bloß für das gewöhnliche Volk. Daß die wirklich an etwas glaubten, kann ich mir eigentlich nicht vorstellen. Das ist vielleicht eine Selbstsuggestion. Wenn man sich einer Sache verschrieben hat, versucht man sich auch selbst von der Richtigkeit zu überzeugen. Das ist das Sekundäre. Als die sich in so einer relativ naiven Weise über irgendwelches Schulungsmaterial unterhielten, habe ich das als absurd empfunden.

Zu meiner großen Verwunderung hat sich gerade derjenige, der vierzehn Jahre gekriegt hat, mit seinem Vernehmer regelrecht angefreundet, und ich glaube, der ist heute noch der Meinung, daß das ein ganz anständiger Kerl gewesen ist. Das ist mir unbegreiflich.

Man empfand das alles als eine Einheit, Vernehmer, Staatsanwalt, Schöffen. Als eine Front. Als ob die sowieso alle unter einer Decke stecken würden. Nach dem Gerichtsverfahren saß ich noch ein knappes Jahr in Waldheim.

Meine Eltern hatten einen Verteidiger genommen. Die Anklageschrift habe ich einmal ein paar Stunden in der Hand gehabt. Die Anklage lautete «Staatsgefährdende Hetze». Ein schriftliches Urteil habe ich nie gesehen. Aber das war wohl das Normale.

Als ich nach der Entlassung ins Prorektorat kam, wurde mir gesagt, ich solle mich erst einmal in der Produktion bewähren. Sonst hat mich niemand diskriminiert. Im Gegenteil, irgendwelche Leute, die ich gar nicht kannte, haben mir Blumen geschickt. Meine Schulkameraden haben mich besucht. Von meinen Kommilitonen war ein Gruß da. Nur von meiner Freundin nichts.

Als ich abgeholt worden bin, war ich gerade zum erstenmal bis über beide Ohren verliebt gewesen. Ich durfte einmal im Monat zwanzig Zeilen schreiben. Und die habe ich zwischen meiner Freundin und meinen Eltern aufgeteilt.

Ich bin dann hingefahren, und da hat sie am Telefon gesagt: «Es ist schon spät. Wir können uns ja morgen treffen.» Wir hatten trotzdem noch eine kurze schöne Zeit. Das hat mich bewegt, nicht wegzugehen.

Nein, so ausgeglichen, wie Sie mich empfinden, bin ich nicht. Meine Schlafstörungen können etwas damit zu tun haben. Am schlimmsten war es 1980. Da hatte ich ein absolutes Tief. Ich habe zeitweilig nur zwei bis drei Stunden in der Nacht geschlafen, nur von einem Tag zum anderen hingedöst. Sieben Jahre lang habe ich Lithium genommen. Als ich es absetzte, war es nicht wieder so schlimm. Aber um vier bin ich wach. Und am Tag baue ich ab.

Das Gefühl der Befreiung ist immer noch da. Das größte Erlebnis war die Demonstration auf dem Alexanderplatz. Ich hatte keinen Hunger und wußte nicht mehr, wie spät es ist. Es war wirklich, als wäre plötzlich «ein Fenster aufgestoßen worden». Mir kamen die Tränen, und ich hatte ein würgendes Gefühl im Hals.

Zur Zeit gehe ich meinem Alltag nach, als ob das jetzt immer so weiter ginge. Ich sehe natürlich auch, daß noch einiges auf uns zukommt. Die Bundesrepublik ist ein ziemlich sozialer Staat. Aus der Sicht der Amerikaner ist das schon Sozialismus. Ich hoffe doch sehr, daß das mit den Republikanern eine Randerscheinung bleibt.

Ich kann nicht alles auf das Ökonomische schieben. Für mich ist die ethische Komponente wichtig. Es muß auch Leute geben, die bereit sind, mal etwas gegen die Logik der Marktwirtschaft zu tun.

Gorbatschow ist zweifellos die große Gestalt unserer Zeit. Wie er den Rückzug macht, und immer in der Pose des Siegers.

Ja, ehrgeizig bin ich. In der Grundschule sahen wir mal einen Film über Gestirne, und da sagte der Lehrer: «Vielleicht sitzt einer unter euch, der später mal den Lauf der Gestirne berechnen wird.» Und das bezog ich dann auf mich.

17. Juli 1990

Der Letzte

Ich bin fünfzehn Jahre im Ministerium für Staatssicherheit gewesen. Zuletzt als stellvertretender Leiter einer Kreisdienststelle. Ich habe den Beruf eines Lehrers erlernt, den ich allerdings nach einjähriger Tätigkeit wegen des Angebotes, in diesem Ministerium zu arbeiten, aufgab. Ich bin verheiratet und habe einen Sohn.

In der Phase des Umbruchs, vom November 1989 bis Februar 1990, war ich aktiv bei der Auflösung dieser Kreisdienststelle und der arbeitsmäßigen Unterbringung der Mitarbeiter tätig. In Gesprächen mit Vertretern des Runden Tisches und mit Vertretern der übrigen Bevölkerung erlebte ich zum erstenmal, welche Antipathie, ja welchen Haß es gegen das ehemalige Ministerium für Staatssicherheit gab. Dadurch wurden meine «Ideale», die zum Eintritt in das Ministerium geführt hatten, erschüttert. Mit dieser Aufarbeitung möchte ich dazu beitragen, daß es eine solche Entwicklung in unserem Land, insbesondere eine Entwicklung der Menschen in eine solche Richtung, nie wieder gibt.

Meine Eltern waren als Erzieher in Kinderheimen tätig. Sie haben mich und meinen Bruder, der drei Jahre jünger ist, zu Menschen erzogen, die in ihrem Sinne, also im Sinne der Partei, wirken sollten. Meine Entwicklung ging über Engagement in der Kinder- und Jugendorganisation bis zu dem für mich nur folgerichtigen Eintritt in die Partei. Parallel dazu die schulische Entwicklung: zehnte Klasse, Berufsausbildung mit Abitur, Studium an der Hochschule.

Mein Elternhaus war bis zu meinem zwanzigsten Jahr intakt. Danach trennten sich meine Eltern, weil mein Vater eine neue Frau gefunden hatte. Im nachhinein ergab sich, daß da Probleme waren, die schon längere Zeit überspielt wurden. Daß mein Vater schon mehrere Jahre Verhältnisse hatte. Ich wurde mit dieser Situation nur sehr schwer fertig. Die Verbindung zu meinem Vater wurde abgebrochen. Diese Polarisierung ergab sich aus familiären Zwistigkeiten und aus, wie ich heute weiß, einseitigen Schuldzuweisungen zum Vater. In dieser für mich persönlich schwierigen Zeit habe ich mein Studium abgeschlossen. Später habe ich begonnen umzudenken und suchte wieder Verbindung zu meinem Vater, hinter dem Rücken meiner Mutter. Wir haben uns gelegentlich gesehen und über die verschiedensten Probleme gesprochen. Aber es wurde nie wieder ein Vater-Sohn-Verhältnis. Wenn sie mich so fragen, würde ich sagen, die Mutter war der stärker prägende Teil. Wenn man es in Prozenten ausdrücken sollte: sechzig Prozent Mutter, vierzig Prozent Vater. Mein Vater ist voriges Jahr verstorben. Die Beisetzung hat mich stark ergriffen. Mein Bruder, der nie wieder eine Verbindung zum Vater hergestellt hatte, nahm ebenfalls teil. Leider für meinen Vater zu spät. Es war sein sehnlichster Wunsch, auch zu seinem zweiten Kind normale Verbindungen herzustellen. Mein Bruder hatte aber eine viel verhärtetere Position. Mein Bruder ist derzeit Kraftfahrer in einem staatlichen Forstwirtschaftsbetrieb. Ja, es stimmt, ich bin sehr gefühlsbetont. Verdränge diesbezüglich aber einiges und tue mir dabei manchmal sehr weh.

Ich gehe gern zur Jagd, weil ich die Natur liebe. Ja, es stimmt, ich suche auch die Gemeinschaft, das Gemeinschaftserlebnis. Aber selbst wenn ich allein gehe, erweise ich dem geschossenen Wild immer die letzte Ehre. Das bedeutet, ich breche einen Zweig, streiche damit durch die Wunde und stecke den Zweig an den Hut.

Ich habe eine eindeutige DDR-Identität und stehe auch dazu. Meine Verbundenheit mit der DDR zeigte sich besonders beim Sport. Ich war immer für die DDR-Mannschaft. Lieber war mir, eine Mannschaft aus sozialistischen Ländern hat gewonnen als eine aus der BRD. Durch meine Erziehung und auf Grund meiner Geschichtskenntnisse habe ich Angst vor einer Überhöhung des Deutschlandbegriffs und vor Parallelen zum Dritten Reich.

Ich war durch mein Elternhaus wie auch durch meine Entwicklung in der Kinder- und Jugendorganisation und später als Kandidat und Mitglied der SED dafür bekannt, daß ich mich immer für die diesen Organisationen vorangetragene Fahne eingesetzt habe. Aber ich war auch gleichzeitig für meinen starken Gerechtigkeitssinn bekannt. Vor allem dafür, daß ich mich für Personen einsetzte, die unter den subjektiven Entscheidungen anderer zu leiden hatten. Zum Beispiel gab es während des Studiums ein freundschaftliches Verhältnis zu einem Kommilitonen der Parallelseminargruppe, der stark kirchlich geprägt war und der auf Grund mangelnder Leistungen in den marxistisch-leninistischen Fächern exmatrikuliert werden sollte. In Wirklichkeit spitzte sich alles auf ein Sympathie- und Antipathieverhältnis zu der Seminargruppenbetreuerin zu. Ich habe mich damals bis hin zu einer Unterschriftensammlung gegen diese Exmatrikulation eingesetzt. Ich hatte aber keinen Erfolg. Im Gegenteil, mir wurde unterstellt, ich hätte meinen Pflichten als Parteimitglied entgegen gehandelt und eine Entwicklung angeschoben, die schädigend sei. Das wirkte sich dann sogar soweit aus, daß ich bei der Wahl in die Sektionsparteileitung von der Seminargruppenbetreuerin und von Genossen aus dieser Seminargruppe Gegenstimmen erhielt. Wobei ich sagen muß, über diese Gegenstimmen war ich sehr erfreut. Dieser junge Mensch hat dann ein Jahr Praxis als Bewährung verordnet bekommen. Er fand nie mehr den Mut, den Lehrerberuf zu ergreifen. Dadurch und aus den verschiedensten anderen Gründen ist die Verbindung zwischen uns abgebrochen.

Das ist nur ein Beispiel. Diese Haltung hat sich auch durch meine weitere berufliche Tätigkeit gezogen. Bestimmte Probleme, zugeschnitten auf konkrete Personen, habe ich anders bewertet, als es Weisungen des Ministeriums für Staatssicherheit oder Orientierungen der Partei entsprochen hätte. Wobei ich nicht so verstanden werden möchte, als sei ich schon immer ein sogenannter Widerständler oder gar ein Märtyrer gewesen. Sondern ich war ein Mensch, der überzeugt war von dem, was er gemacht hat, auch als Mitarbeiter des Ministeriums für Staatssicherheit. Sonst hätte ich nicht stellvertretender Leiter sein können. Ich war überzeugt, daß das Ziel der SED, einen sozialistischen Staat, eine sozialistische Gemeinschaft aufzubauen, für alle Menschen machbar und gut ist. Ich war integriert in das aufgebaute Feindbild und habe es auch vertreten, sonst hätte ich nicht arbeiten können.

Ich hatte viele private und dienstliche Verbindungen zu Menschen, die bewußt außerhalb der Partei standen, weil sie mit vielen Entwicklungsproblemen nicht einverstanden waren, und ich konnte mich immer recht gut mit diesen Menschen verständigen. Und sie haben auch meine Position zur Entwicklung des Staates akzeptiert, obwohl diese Gespräche immer recht konträr und hart geführt wurden. Ich habe mich Argumenten nie verschlossen, sondern ich war und bin der Meinung, daß man sich stets prüfen sollte, ob der Weg, den man geht, richtig ist, und dazu auch andere Meinungen verarbeiten und gelten lassen muß. Wobei das im Widerspruch zur Haltung der Staatssicherheit gegenüber Andersdenkenden stand. Ich habe mich in diesen Gesprächen mit den Argumenten der anderen auseinandergesetzt und versucht, sie gewisse Entwicklungen, die ich für gefährlich hielt – besonders in den letzten zwei Jahren –, nicht vollziehen zu lassen. Es gab bei uns zum Beispiel einen Jugendlichen, der war Verweigerer des aktiven Wehrdienstes, Totalverweigerer, und einer der Aktivisten des Neuen Forums, mit Unterschriftensammlung usw. Und der wurde von der Untersuchungsabteilung nach seinen Motiven befragt. Damals, in den Oktoberwochen 1989, waren die Probleme noch strafrechtlich faßbar. Ich bin damals auf kirchliche Vertreter zugegangen, um seine Aktivitäten etwas einzudämmen, damit keine strafrechtliche Relevanz eintrat.

Man kann nicht sagen, alles, was im nachhinein bei der Auflösung passiert ist, geschah auf Grund des Feindbildes, der Verbitterung oder des Hasses. Das ist ein Komplex. Man muß sagen, daß Rudimente der früheren Tätigkeit recht lange in den Menschen bleiben. Und daß manche ehemalige Mitarbeiter vielleicht auch nie diesen Schritt verinnerlichen, vielleicht nie ihren Haß abbauen und sich gegenüber Bürgerkomitees oder Leuten von der Straße kompromiß- oder gesprächsbereit zeigen werden. Die Ursachen liegen in den Menschen selbst, inwieweit sie fähig zu Umdenkprozessen sind. Ich meine nicht Wendehälse.

Wenn Sie mich fragen, woher ich bei der jetzigen Konfrontation plötzlich die Kraft nehme, meine Haltung in Frage zu stellen, so gibt es hierfür sicher auch ein Bündel von Gründen. Auf jeden Fall ist es der Schreck über den Haß der Leute. Ob das nur das Vordergründige ist, kann ich jetzt noch nicht bewerten. Diese Bewertung ist natürlich auch situationsbedingt. Die kann heute auf Grund einer persönlichen Anfeindung so sein und morgen auf Grund einer neuen Gefühlslage schon wieder anders. Es schwankt. Auf jeden Fall spielt der Haß eine große Rolle. Insbesondere der auf meine Person konzentrierte Haß. Nach dem Motto: Den letzten haben wir erwischt, vor der Integrierung in das neue Berufsleben, und dem werden wir jetzt das Leben schwermachen. Darunter leide ich persönlich. Andererseits finde ich die Kraft in meiner Familie und in meiner Entscheidung für den Neuaufbau der PDS. Wobei ich voll akzeptiere, daß ich in keiner Weise öffentlich auftreten kann. In meiner Ehe gibt es bisher keine Probleme. Mein Sohn merkt sehr die Sorgen seiner Eltern, ohne viele Fragen zu stellen. Er ist sehr solidarisch. Meiner Mutter habe ich meine derzeitige berufliche Nichtintegration verschwiegen, um ihr Sorgen zu ersparen. Sie wird erst im April bei einem Besuch damit konfrontiert. Es gab früher nie eine Differenz zwischen meinen Eltern und mir wegen meiner Tätigkeit. Der einzige, der recht skeptisch reagierte, war mein Bruder. Der war weniger kritisch aus ideologischer Sicht, mehr aus rein menschlichen Gründen. Der ist in keiner Partei organisiert gewesen und hatte zeitweilig sogar den Entschluß gefaßt, die DDR zu verlassen. Meine Frau ist von Beruf Lehrerin und ist schon mehr als zehn Jahre im Kreisvorstand der PDS tätig.

Für die immer stärker werdenden Deformationen in den letzten Jahren sehe ich als Grund die tatsächlichen Machtstrukturen der SED als Staatspartei, die nicht dem in den kommunistischen Lehrbüchern angekündigten immer weiteren Abbau staatlicher Funktionen bis hin zur letztendlichen Auflösung des Staates entsprachen. Durch den immer weiteren Aufbau staatlicher Organe, also einer immer weiteren Perfektionierung im Sinne der Diktatur des Proletariats, hatten eben Personen oder Personengruppen, die dem kritisch gegenüberstanden, wenig Handlungsspielraum.

Ich bin sowohl betroffen über die Entwicklung der Strukturen als auch über die Entwicklung einzelner Personen, sei es Honecker, Mielke oder andere. Diesen alten Menschen kann man ja in ihren Anfängen in keiner Weise vorwerfen, daß sie eine solche Entwicklung wollten, sondern sie strebten, aus ihrem antifaschistischen Verständnis her, mit Sicherheit eine gute Entwicklung an.

Für mich ist das große Problem – wo sind die Ursachen oder die sogenannten «Knackpunkte» für diese spätere Entwicklung zu suchen. Auch zeitlich. Wann hat sich die DDR zu einem solchen Staat entwickelt, wie wir ihn in den Oktobertagen erleben mußten?

Vielleicht finde ich auch jetzt auf Grund einer gewissen Offensivposition die Kraft, mich der Auseinandersetzung zu stellen. Allerdings bin ich noch bis zum Dezember 1989 nicht zu einer generellen Infragestellung gekommen, es ging mir immer um einzelne Haltungen. Ich weiß nicht, ob ich es unter anderen Bedingungen geschafft hätte. Darüber zu spekulieren wäre unehrlich. Es gab für mich insbesondere im Januar und Februar dieses Jahres eine starke Konfliktsituation, wo ich damit gerungen habe, aus der SED auszutreten. Man hat mich zu diesem Zeitpunkt nicht zu einer Entscheidung gezwungen. Wenn man mich gezwungen hätte, wäre ich ausgetreten. Man hat mich einfach nicht mit der Frage konfrontiert. Ich bin auf Grund der starken Erneuerung in der PDS der Meinung, daß es möglich ist, sich für eine linke Bewegung einzusetzen. «Links» zu verstehen: in der Front aller linken Kräfte. Ich bin und werde PDS-Mitglied bleiben und werde bei aller Einschränkung, die ich mir jetzt auferlegen muß, dafür eintreten, daß die Linke eine Zusammengehörigkeit ohne eine Vereinnahmung durch die PDS entwickelt. Linke Bewegung, darunter verstehe ich: gegen Machtmißbrauch, gegen brutale kapitalistische Entwicklung, gegen Verletzung persönlicher Würde und für das Ideal eines demokratischen Sozialismus.

Ich habe das Bedürfnis nach Nähe und Freundschaften. Das geht soweit, daß ich mit Freunden manchmal auch über intime Dinge spreche. Über meine derzeitige berufliche Situation ist zu sagen, daß ich mich Anfang Dezember 1989 entschieden hatte, den Versuch zu wagen, wieder in meinen Lehrerberuf zu gehen und nicht im Sicherheitsbereich zu bleiben. Es wäre damals möglich gewesen, zur Grenzkontrolle zu gehen oder zum Zoll. Aber ich hatte mir selber als Begründung zurechtgelegt: Wenn du einen Neuanfang machen mußt, dann im zivilen Sektor und nicht wieder im Bereich Sicherheit. Es gab die notwendigen Vorabsprachen mit dem damaligen Kreisschulrat, die wurden dann im Januar 1990 konkretisiert. Es wurde im Februar ein Arbeitsvertrag abgeschlossen als Diplomlehrer Chemie und Mathematik, sowie mein Studienabschluß vorhanden war. Arbeitsbeginn sollte im März sein.

Es gab dann eine Entscheidung des Runden Tisches von W., Antragsteller waren Neues Forum und Demokratie Jetzt, daß gegen meine Tätigkeit moralische und politische Bedenken bestehen. Es wurde ein Mitspracherecht der Lehrer und der Eltern gefordert. Eine solche Veranstaltung fand in den Winterferien statt. Es waren einige Eltern und Lehrer da und Vertreter dieser antragstellenden Bürgerbewegungen. Die anwesenden Eltern und Lehrer haben sich dafür ausgesprochen, daß ich meine Tätigkeit beginnen sollte, man wollte mir eine Chance geben. Aber von den Bürgerbewegungen wurde das in keiner Weise akzeptiert. Aus dieser Veranstaltung wurde eine Inquisitionsveranstaltung. Es ging bis zur persönlichen Beleidigung. Ich wurde mehrfach der Lüge bezichtigt, was ich dann kategorisch zurückgewiesen habe. Es ging um Detailfragen, die nicht zur Zufriedenheit der Fragesteller beantwortet wurden. Zum Beispiel wurde von einer Neurologin mit der Vorbemerkung, nach der Beantwortung dieser Frage wüßte sie, ob ich lüge oder nicht, die Frage gestellt: «Wo ist der Bunker in Ihrer ehemaligen Dienststelle?» Da ich darauf nur antworten konnte: «Es gibt keinen», schrie sie heraus: «Sie lügen!» Sie wisse es besser von einem Patienten, der habe daran mitgebaut. Da wurde ich dann sehr energisch.

Ein Bunker ist ein unterirdisches Bauwerk. Die Zellen, das war ein anderes Kapitel. Da war in den letzten fünfzehn Jahren niemand drin. Und dann wurden eben auf recht diskriminierende Weise weitere persönliche Details bis hin zum Kontostand abgefragt. Im Endergebnis wollten die Antragsteller ein Mitspracherecht der Eltern und Lehrer überhaupt nicht akzeptieren. Es gab dann vierzehn Tage später eine Auswertung des Runden Tisches in W., wo einerseits das Ergebnis der Aussprache dargelegt wurde und andererseits von der Bürgerinitiativgruppe ein neuer Antrag eingebracht wurde, mich generell nicht als Lehrer zuzulassen. Diesem Antrag wurde mit Mehrheit zugestimmt. Daraufhin wurde ich vorübergehend beurlaubt, habe jetzt eine andere Tätigkeit als Haus- und Hofhandwerker in der Station Junge Techniker. Ich hatte mich im Kombinat als Lagerarbeiter beworben, habe aber nun die ärztliche Mitteilung bekommen, daß es an der Wirbelsäule irgendwelche Probleme gibt und ich keine schwere körperliche Arbeit ausführen kann.

Ich stehe also zur Zeit vor einem großen Fragezeichen.

Ich kann die Bedenken der Menschen nachvollziehen. Es erschreckt mich aber auch die Hysterie, die vorhanden ist. Ich bin der letzte, der integriert werden soll in unserem Kreis. Die anderen haben alle eine Tätigkeit, darum habe ich mich gekümmert. Deswegen habe ich meine Probleme zurückgestellt, sonst wäre ich schon im Januar eingestiegen. Ich kann es nachvollziehen, aber ich halte es für ungerecht, daß nach dem Motto gehandelt wird, wir haben den letzten erwischt, und der muß die Gesamtschuld abtragen. In fast allen Institutionen des Kreises scheint nun Einstellungsstopp zu sein. Ich habe aber noch einen gültigen Arbeitsvertrag mit der Abteilung Volksbildung. Den habe ich noch nicht gekündigt und der wurde auch mir noch nicht gekündigt.

Das ist mein Strohhalm. Die anderen Mitarbeiter sind in die Berufe zurückgegangen, die sie erlernt haben. Wenigstens zum großen Teil. Einige arbeiten auch als Lehrer.

Befragung durch Eltern und Lehrer und Nachqualifizierung in geeigneter Form, wenn keine Schuld nachgewiesen wird, würde ich akzeptieren. Ich sehe das als einen legitimen Schritt, um einerseits dem Betroffenen die Gelegenheit zu geben, sich darzustellen, und andererseits Ängste und Sorgen abzubauen, die ich für gerechtfertigt halte.

Das Feindbild hat eindeutig Menschen und Sprache beeinflußt.

Im nachhinein bin ich betroffen. Das ist immer schlimmer geworden, wobei es auch Erlebnisse gab, bei denen man über sich selbst
gestaunt hat. Da war eine Situation, daß wir drei junge Menschen,
zwei männlich, einer weiblich, befragen mußten, weil sie alle drei
geplant hatten, die DDR zu verlassen. Das heißt, die Befragung
haben wir nicht geführt, sondern die Untersuchungsabteilung.
Dabei gaben die zwei jungen Männer Sachen zu, die wir noch
nicht einmal wußten. So ist bei uns damals die Frage entstanden,
haben sie das zugegeben, weil es den Tatsachen entsprochen hat,
oder haben sie es zugegeben, weil sie erkannt haben, daß damit
über eine kurzzeitige Haft der Weg in die BRD schnell gehen
würde. Die Frage, was in diesen Menschen vorgeht, habe ich mir
nicht beantworten können, das war das Problem. Sie wollten die
DDR verlassen. Vom Papier her waren es Feinde. Aber ich kam
dann auch noch einmal mit dem einen, bevor er in die UH nach R.
überführt wurde, ins Gespräch und merkte, ihm ging das nicht
wirklich nahe. Er nahm die Sache recht locker. Bis dahin, daß er
mir die Frage stellte: Wie wird man eigentlich Topagent der
Staatssicherheit? Es war vielleicht auch Sarkasmus. Ich war über
dieses Verhalten verwundert. Und zwar über diese Fragestellung
und darüber, daß viel mehr zugegeben wurde, als wir zu diesem
Zeitpunkt wußten. Sie haben recht, der Befragte wußte ja nicht,
was wir zu diesem Zeitpunkt auf dem Tisch liegen hatten.

Daß der Eindruck erweckt wurde, alles wäre bekannt, da ist
garantiert eine Menge dran. Aber ich wehre mich immer gegen die
Bezeichnung flächendeckend. Das hieße für mich, daß jedes Telefon, jede Post kontrolliert würde. Es wurde nach bestimmten Kri-
terien festgelegt oder nach bestimmten Verdachtsmomenten, wessen Telefon oder wessen Post kontrolliert wurde. Das wurde aber
auch wiederum nicht von denen gemacht, die in der Kreisdienststelle saßen. Hier gab es Arbeitsteilung. Das wurde von anderen
Abteilungen gemacht. Wobei das mit der Post dann so war, daß
wir bestimmte Duplikate auf den Tisch bekamen.

Ja, es gab dann eine Akte über den Betreffenden, in der auch
möglicherweise Kontakte abgespeichert waren, aber insbesondere bestimmte Bewertungen zu bestimmten Ereignissen. Etwa

zu den Ereignissen in der ČSSR, Einmarsch der Warschauer Vertragsstaaten, wie das also von demjenigen bewertet wurde, oder bestimmte Ereignisse aus jüngster Zeit in der DDR. Wie wurde das im Gespräch bewertet, welche Haltung hat derjenige dazu, welche eigenen Schritte zur Durchsetzung seiner Ideen will er gehen. Es wurde viel Wert darauf gelegt, nicht ausschließlich über *eine* Quelle Informationen zu bekommen. Es konnte geschehen, daß eine Quelle über Jahre an einem Menschen dran blieb.

Die Quellen hatten Angst, enttarnt zu werden. Wenn ich von meiner Arbeit ausgehe, ich hatte Inoffizielle Mitarbeiter, die sagten, Zusammenarbeit ja, aber meine Familie ist tabu. Wenn irgendwelche Tabubereiche benannt wurden, so habe ich das akzeptiert.

Inoffizielle Mitarbeiter wurden auf verschiedene Weise angeworben, wenn ein Sicherheitsbedürfnis wegen eines Sachverhaltes oder wegen einer Person vorhanden war. Wenn beispielsweise ein Mitarbeiter international aktiv war und Aussagen getroffen werden sollten, ob er ein sogenannter Reisekader werden durfte oder nicht, also, ob er sich loyal zur DDR verhält oder nicht, wurde gefragt, wer kann uns da aus dem Verwandten- oder Bekanntenkreis möglichst objektive Information liefern. Es wurde eine Person ausgeguckt, und die Taktik des Anwerbens wurde nach dem, was man über diese Person wußte, ausgewählt. Danach richtete sich das erste Gespräch. Es konnte sein, daß diese Person straffällig war oder andere Probleme hatte, es konnte aber auch einfach die Tatsache gewesen sein, daß bekannt war, diese Person ist mit uns ideologisch auf einer Wellenlänge. Wobei man im ersten Fall nicht weit gekommen wäre. Das wäre nur eine kurzzeitige Zusammenarbeit gewesen. Darauf war es eigentlich nie angelegt, sondern auf eine längerfristige Zusammenarbeit. Wobei es aber immer die Möglichkeit gab zu sagen, heute mach ich Schluß. Es gab natürlich ein Angstgefühl, nach dem Motto: Wenn ich jetzt sage, ich will nicht mehr, könnte ich persönliche Probleme bekommen. Aber es war nie so. Ich kenne jedenfalls keinen Fall. Es wurde ihnen nur angedroht, in einer Schweigeverpflichtung, daß es bei Dekonspiration strafrechtliche Konsequenzen entsprechend des

Geheimhaltungsparagraphen im Strafgesetzbuch geben könnte. Also, daß es die Möglichkeit gäbe. Und der Mensch ist ja so geartet, daß er sich immer noch eine Menge dazu erdenkt.

Ja, das stimmt, gute Regisseure hatte die Staatssicherheit. Inszenierungen im Sinne des Staates. Es gab solche Praktiken, daß eine Person an dem und dem Tag bei der und der Veranstaltung unerwünscht war. Dann wurden schon ein paar Dinge inszeniert, um ihn, ohne daß er das merkte, davon abzuhalten.

Dann gab es noch eine Zusammenarbeit für Geld, aber die war auf unserer Ebene nicht lukrativ. Es muß andere Ebenen gegeben haben, aber bei uns nicht.

Ja, ich glaube, daß diese Leute jetzt große Angst haben. Und das macht auch mir Sorgen, denn es könnte eine Lynchjustiz werden.

Unter den ehemaligen Mitarbeitern der Stasi erkenne ich drei Gruppen. Die einen, die die Entwicklung nach schmerzlichem Durchleben akzeptieren, andere, die integriert wurden, aber der Sache noch nachtrauern, und welche, die noch nicht integriert sind. Da sehe ich die Gefahr einer inoffiziellen Gruppenbildung und die Möglichkeit von Terrorismus. Davor möchte ich einerseits warnen, andererseits dazu beitragen, daß die Integration vorankommt.

Ja, eine innere dunkle Last empfinde ich, aber ich könnte keinen Fall besonders herausheben.

Ob nun aus diesem Publikationsprojekt etwas wird oder nicht, auf jeden Fall hat mir unser Gespräch geholfen.

20. März 1990

Die Bücher kosten nur noch ein Fünftel ihres früheren Preises...

...schrieb der Bischof von Aleria 1467 an Papst Paul II. Das war Gutenberg zu verdanken.

Heute, 500 Jahre später, kosten Taschenbücher nur etwa ein Fünftel bis ein Zehntel des Preises, der für gebundene Ausgaben zu zahlen ist. Das ist der Rotationsmaschine zu verdanken und zu einem Teil auch – der Werbung: Der Werbung für das Taschenbuch und der Werbung im Taschenbuch, wie zum Beispiel dieser Anzeige, die Ihre Aufmerksamkeit auf eine vorteilhafte Sparform lenken möchte.

Der aufrechte Gang

Ich bin Mitarbeiter im kirchlichen Bereich. Einige Jahre als Pfarrer, einige Jahre als Krankenpfleger und als Sozialarbeiter. Ich bin siebenundvierzig Jahre alt, habe drei Kinder, zwei Enkel. Ich habe mich immer nach Freiheit gesehnt und fühlte mich durch kirchliche Forderungen, kirchliche Grenzen und durch diesen Staat oft eingesperrt. Ich habe mich von diesem Staatssicherheitsapparat bedroht gefühlt.

Im Herbst letzten Jahres habe ich zum erstenmal ganz tief empfunden und gespürt, was Freiheit ist. Es war, als ob Ketten fallen. Und dieses Gefühl ist für mich eigentlich das große Lebensgefühl gewesen: der aufrechte Gang. Ich werde es nie wieder vergessen, dieses Gefühl bei der ersten Demo. Später ist es nicht mehr so gewesen, es war nur das eine Mal so erschütternd.

Ich war auch bei der Erstürmung des Bezirksamtes vorn und bin bis zum heutigen Tag bei der Auflösung dabei. Seit Wochen beschäftigt mich die Frage, wie wir aus den Trümmern ein neues Haus bauen können, in dem wir auch alle wieder Wohnung finden.

Ich habe mich mit meinem Vater bis vor zwei, drei Jahren ständig gestritten, eigentlich mein ganzes Leben lang. Er lebt noch und ist bei guten Kräften. Ich habe jetzt das Problem so für mich gelöst, daß ich ihn als alten Mann sehe, der sein Leben gelebt hat, mit dem keine Verständigung mehr möglich ist. Auf diese Art versuche ich, einen Status quo zu erhalten.

Ich habe ihn immer als einen erlebt, der keinen anderen neben sich gelten ließ. Aus einer bürgerlichen Familie kommend, stolz auf seine norddeutsche Herkunft, stolz auf seine Familie, stolz auf seine Ausbildung, stolz auf sein Wissen. Diplomingenieur mit sogenannter humanistischer Bildung, mit der er den meisten seiner Zeitgenossen weit überlegen ist. Dies hat er immer ausgespielt.

Ich habe eigentlich mein Leben lang gegen seine Übermacht gekämpft. Er war der Maßstab für alles. Die Familie meiner Mutter galt nichts. Die Familie meiner Stiefmutter galt nichts. Das waren alles nur Komparsen. Nur er war derjenige, der alles wußte, und seine Familie war gut. Diesen Familienangehörigen mußten Karten zum Geburtstag und zu Weihnachten geschrieben werden.

Ich denke, ich habe ein großes Stück von ihm in mir drin. Es ist ein Teil meines Lebensproblems, mit diesem autoritären, raumfordernden Vater in mir umzugehen. Er hat mit mir, und überhaupt mit seinen vier Kindern, nie über die Zeit des Nationalsozialismus gesprochen. Ich weiß nur, daß er Dozent war in Dresden und als Oberleutnant vor Stalingrad verwundet wurde. Er war der Ideologie bis zu einem bestimmten Maße verfallen, das hat er zumindest angedeutet. Wieweit aber seine Bindungen gingen, wieweit er sich verstrickt fühlte, dazu hat er eigentlich nie Stellung bezogen.

Nach dem Krieg hat er sich sehr der Kirche zugewandt. Gehörte zur technischen Intelligenz, die zu Beginn der DDR gehätschelt und zugleich getreten wurde. Er hat uns immer das Gefühl gegeben, daß wir in dieses Land gehören, aber wir haben dieses Land nie geliebt. Es ist nie meine Heimat gewesen, es war eine Verstandesbeziehung. Wir wollten hier nicht weg, wollten nicht kneifen. Aber es war keine wärmende Beziehung, die wir zu diesem Land hatten.

Ich habe immer eine große Klappe gehabt, von Anfang an. Dadurch war ich den meisten meiner Mitschüler überlegen. War oft so eine Mischung zwischen Klassensprecher und Klassenkasper. Zum Anführer hat es meist nicht gelangt, dazu war ich auch körperlich nicht kräftig genug. Ich wär es natürlich gern gewesen, das gebe ich zu. Und auf die Weise habe ich mich oft und gern mit allen Leuten angelegt. Mit solchen, die über mir waren. Und das hat sich eigentlich durchgezogen durch mein Leben. Ich habe mich sowohl mit meinen staatlichen wie kirchlichen Oberen angelegt. Habe Stalinisten auf beiden Seiten kennengelernt. Wo Unrecht war und wo mich Leute angesprochen haben, da bin ich eingestiegen. Habe dann aber sehr oft den Kompromiß gesucht.

Ich habe mich für andere eingesetzt und auch für mich selbst, aber ich habe das nie so ganz zum Extrem getrieben, sondern irgendwie versucht, die Dinge moderat zu regeln, und am Ende habe ich mich selber nicht mehr so recht leiden gemocht. Mit meiner Kompromißbereitschaft war ich zwar erfolgreich, habe oft etwas erreicht, aber ich habe eben die Wahrheit immer kräftig verwässert und saß schließlich zwischen allen Stühlen.

Etwa als ich das erste Mal in Hoheneck war, das ist eine der berüchtigten Haftanstalten für Frauen, und erlebt habe, wie in der DDR Menschen zerhaftet werden. Immerhin, könnte ich sagen, bin ich damals bis zum stellvertretenden Generalstaatsanwalt vorgedrungen, ich habe an Erich Honecker geschrieben. Aber ich frage mich heute, ob ich nicht damals Flugblätter hätte kleben müssen oder einen Streik organisieren. Weil das einfach so schlimme Dinge waren und weil man mit herkömmlichen Methoden, mit angepaßten Mitteln nichts erreicht hat. Aber das war eben meine Art, es am Ende möglichst jedem recht zu machen. Und das entdecke ich bis zum heutigen Tag bei mir.

Ich war bei der Auflösung der Staatssicherheit dabei. Ich bin auf der einen Seite stolz, daß keine Scheibe kaputtgegangen und durch meinen Einsatz auch keiner zu Schaden gekommen ist. Und andererseits habe ich das Gefühl, daß wir dadurch auch die Staatssicherheit nicht richtig aufgelöst haben. Dadurch ist vieles beiseite geschafft worden. Wir haben neulich eine Veranstaltung über die Auflösung gemacht, unter der Überschrift: Lüge bis zum letzten Tag. Wir sind bis zum letzten Tag beschissen worden. Durch diese Inkonsequenz. Da kommen auch nur halbe Dinge raus.

Am 5. Dezember haben wir uns zum erstenmal Einlaß verschafft in die Bezirksverwaltung. Aus heutiger Sicht würde ich sagen, wir hätten ab 6. Dezember alle bisherigen Mitarbeiter aussperren müssen. Nicht um ihnen irgend etwas anzutun, aber eben sagen müssen, ihr dürft dieses Gebäude nicht mehr betreten, das räumen wir selber auf.

Für mich war es ein ganz schlimmes Erlebnis, daß die Mitarbeiter dieser Dienststelle, zunächst waren es mehrere hundert, uns, das Bürgerkomitee, nicht als Partner behandelten, daß sie nicht ehrlich mit uns umgegangen sind, sondern versucht haben, uns mit Halbwahrheiten, mit Lügen hinzuhalten, uns auszutricksen, um zu verhindern, daß die Wahrheit wirklich zutage kommt.

Das war falsche Nibelungentreue, nach dem Motto, ich habe einen Eid geschworen. Ich denke, daß auch Wut dabeigewesen ist: Diese Schreihälse von der Straße, was erdreisten die sich überhaupt. Und bei einer Reihe war auch Stolz: Wir haben bestimmt keine schmutzige Arbeit getan. Wir haben Wichtiges und Ehrenwertes geleistet. Wir haben gute Ergebnisse vorzuweisen. Und da die Bürgerbewegung uns das nicht abnimmt, uns nicht respektiert mit unserer Würde, sind wir gar nicht bereit, uns auf diese Herren von der Straße einzulassen.

Ich kann es in einem Bild fassen, in einem Bild der Feudalzeit: die erniedrigten Bauern, die vor dem Burgtor stehen und keine Chance haben, dieses Tor zu knacken. Und der Burgherr und seine Knappen, die lachen sich kaputt über die abgerissenen Leute. Ich habe die Staatssicherheit all die Jahre schon als verbrecherische Organisation betrachtet, und ich werde diese Meinung auch zum Ausdruck bringen, nachdem wir die Arbeit in der Rehabilitierungskommission abgeschlossen haben. Das bezieht sich auf die Organisation, nicht auf jeden einzelnen Mitarbeiter, einfach weil die Gefahr besteht, daß viele ehemalige Mitarbeiter diese Tätigkeit noch rechtfertigen oder glorifizieren. Dem muß durch eine moralische Bewertung der Boden entzogen werden, um das ein für allemal klarzustellen. Das war eine Organisation, die gegen die Würde des Menschen gearbeitet hat.

Wenn man heute darüber spricht, sagt man, dem bisherigen System habe eine falsche Sicherheitsdoktrin zugrunde gelegen. Also ich muß sagen, für mich ist das eine Verharmlosung. Ein feines Wort, hinter das man sich zurückziehen kann. Etwas Steriles. Die Menschenwürde war für einen großen Teil der Menschen dieses Landes grundsätzlich außer Kraft gesetzt. So muß man das benennen.

Im Grunde bin auch ich so autoritär angelegt, daß ich in manche Kreisleitung gut reingepaßt hätte. Weil ich oft so gedacht und gehandelt habe, als ob ich es eigentlich besser wüßte als andere.

Ich habe etwa zehn Jahre lang eine Einrichtung für Behinderte geleitet und bin da auch oft sehr anmaßend aufgetreten. Als ob ich genau wüßte, was für einen Behinderten oder für einen alten Menschen gut ist. Und ich habe meine Macht gebraucht, um sie in den Glückszustand zu versetzen, den ich für den richtigen hielt. Insofern darf ich in keiner Weise mit ausgestrecktem Finger auf irgendwelche Machthaber zeigen – die gleichen Strukturen sind in mir selber drin. Und vielleicht ist das auch die Ursache für das Glück, das ich zur Zeit empfinde. Ich ahne, es gibt noch eine andere Möglichkeit: nicht für andere die Dinge zu regeln, sondern mit ihnen die Dinge zu tun. Davon habe ich einen Vorgeschmack bekommen, und das macht mir Spaß. Es ist auch für mich eine Alternative. Es hätte gut geschehen können, daß ich früher auf die Seite der Machthaber geraten wäre und diese Macht genauso wie andere mißbraucht hätte.

Was mir Not macht: Ich fühle mich wirklich als Heimatloser. Ich bin hier nicht zu Hause, nie zu Hause gewesen in diesem Staat. Ich bin auch nie in der Bundesrepublik zu Hause gewesen. Neidisch habe ich oft die Identität der Polen mit ihrem Land beobachtet. Da bin ich manchmal sehr traurig gewesen. Davon ist in mir überhaupt nichts, ich bin wirklich um dieses Gefühl beschissen worden.

Ich habe dieses Unbeheimatetsein als etwas ganz Schlimmes empfunden. Und das bißchen, das da war, weswegen ich auch geblieben bin: Es ist mir immer bei den Ärmeren besser gegangen als bei den Reichen. Das war vielleicht doch so ein Stück Identität, das ich hier hatte. Den Gnadenstoß haben mir nun die letzten Monate verpaßt, in denen eigentlich gar nichts geblieben ist. All die sogenannten Errungenschaften näher betrachtet: nur Beschiß von hinten bis vorn. Nicht einmal die kleine Pflanze, die vielleicht noch da war, ist geblieben. Nichts. Nichts Ehrliches und Sauberes.

Ich bin fünfzehn Jahre in der CDU gewesen. Das war Kasperletheater. Ich war da aus rein taktischen Erwägungen, weil ich etwas gegen meine Ausgrenzung tun wollte. Fünf Jahre als Abgeordneter im Bezirkstag. Das waren aber alles dumme Spiele. Ich habe mich darauf eingelassen und habe letzten Endes eigentlich nur zugezahlt. Eine emotionale Beziehung, wie Sie sie beispielsweise zur PDS haben, hat sich bei mir nie damit verbunden. Jetzt bin ich froh, daß ich im Neuen Forum, also in einer Bürgerbewegung, tätig gewesen bin, und kann mir überhaupt nicht vorstellen, einer Machtpartei beizutreten. Das habe ich so satt. Ich will jetzt wirklich versuchen, als Bürger lebendig zu bleiben, und mich nicht wieder irgendwo einordnen.

Ich hatte immer, auch als Kind, Freunde und vielfältige Beziehungen. Aber die waren wohl mehr oberflächlich. Einen richtigen Freund oder eine richtige Freundin hatte ich eigentlich nie.

Ich bin jetzt fünfundzwanzig Jahre verheiratet. Ich könnte ohne die Wärme meiner Frau nicht sein. Wenn ich mich nicht an sie kuscheln könnte, würde ich erfrieren. Trotzdem ist sehr viel Ferne zwischen uns, so daß wir also auch sehr viel nebeneinander sind. Obwohl wir so lange zusammen sind, ist jeder sehr in seinem eigenen Kreis. Manchmal würde ich mir wünschen, daß da mehr an Verstehen und Aussprechen wäre. Aber es fiel mir schon immer schwer, über mich selbst zu reden, und meine Frau hat auch ihre Probleme. Vielleicht passen wir da wieder zusammen.

Mich bewegt zwar, wie die ehemaligen Mitarbeiter des Amtes wieder in die Gesellschaft integriert werden können. Aber es kann nicht so sein, daß wir jetzt für die vom MfS zaubern, und nach den anderen, die kaputtgemacht worden sind, kräht kein Hahn. Ein Beispiel nur. In unsere Rehabilitierungskommission kam ein ehemaliger Lehrer, der sehr von der SED protegiert worden war. Arbeiterklasse. Studiert. Wurde hofiert, in der Partei wie ein Kronprinz behandelt. Ein Vorzeigelehrer. Ein Vorzeigeparteimitglied. Also ganz groß. Der erzählte uns folgende Geschichte: Einmal war der Besuch eines Kosmonauten angesagt. Wie solche Dinge damals liefen, der Bezirkssekretär lud ein, und da waren eben dann alle, die bei solchen Gelegenheiten immer da waren. Vorher hatte der starke Spielregeln ausgegeben. Jedem gesagt: Das ist mein Gast, und wehe, einer von euch verlangt von dem ein Autogramm. Der wird nicht belästigt!

Und diesen Lehrer hat zu Hause sein Sohn gebeten, ihm ein Autogramm zu bringen, und da hat der sich gesagt: Scheiß drauf.

Der hat dann an dem gleichen Tisch mit dem Kosmonauten und dem Ersten gesessen. Der hat ihn mit Blicken fast erdolcht. Als er später ging, hat er ein mörderisches Ding aus dem Dunkeln gefangen, daß er ungefähr zwanzig Minuten bewußtlos lag. Dann ist er wieder hochgekommen und hat selbst zurückgeschlagen. Das war eben auch so ein starker Typ. Und da hat er im Dunkeln einen von der Trapo (Transportpolizei) erwischt. Ihr seid schlimmer als die Faschisten, hat er zu den Polizisten gesagt, die ihn dann mit Stahlruten behandelt haben. Er sagte, seine Kopfhaut war danach gespannt wie ein Helm. Von dem Tag an war seine Karriere zu Ende. Er hat dafür noch ein paar Jahre bekommen. Wurde aus der Partei ausgeschlossen, das gehörte ja alles dazu. Hat ein paar Jahre abgesessen. Und als er dann zurückkam, hat er gekämpft, wieder Lehrer werden zu dürfen. Zehn oder fünfzehn Jahre lang. Er hat nie die Spur einer Chance gehabt. Seiner Frau war gleich mit gekündigt worden.

Ich will nur sagen, das sind so die Schicksale, mit denen ich konfrontiert werde. Der Mann ist heute sechzig. Für den ist alles vorbei. Der will nicht mehr Lehrer sein. Der will einfach sagen, so ist es gewesen, ich habe auch mal dran geglaubt, und das ist mein Lehrerschicksal.

Bei ihm ist bisher keiner von der SED-Bezirksleitung gewesen, der sich entschuldigt hätte. Noch kein Bezirksschulrat. Es interessiert sich einfach keiner dafür. Andererseits erlebe ich die Ehemaligen vom Amt, die gleich mit dem Argument Berufsverbot kommen. Ich habe mit den Leuten, die in diesen Apparat hineingeraten sind, sogar sehr viel Mitgefühl, weil ich mir vorstelle, daß da viele tragische Schicksale dahinterstehen. Ich selber habe ja jahrelang versucht, mich in diesem Staat zwischen den Fronten zu bewegen.

Das sind sicher sehr schwierige menschliche Situationen. Also ich würde schon sagen, die Akten über die sogenannten I.M.s (Inoffizielle Mitarbeiter) sollten vernichtet werden. Was will man damit noch, wozu sollten sie nützlich sein. Die werden zu keiner Rehabilitierung gebraucht und zu nichts, das sind reine Personalakten. Was anderes sind die Bürgerakten, die vielleicht noch einmal zur Aufklärung einer Strafsache benötigt werden. Aber die eigentliche Kartei der I. M.s, die muß vernichtet werden, weil sonst letzten Endes wieder so ein primitiver Rachefeldzug beginnt. Solche, die moralisch in keiner Weise besser waren, die einfach zu faul oder zu fett waren, etwas zu tun, die suchen sich jetzt ein Opfer, um sich selber ein bißchen herauszustreichen. Und da, denke ich, sind die I. M.s die bevorzugten Opfer. Die I. M.s müssen selber mit ihrem Gewissen zurechtkommen. Das muß jeder von denen mit sich klären. Und dabei sollte man es belassen. Um des gegenseitigen Lebensrechtes willen.

20. März 1990

Suchen, was zusammenhält

Als wir uns vor anderthalb Jahren das letzte Mal sahen, hätte ich es nicht für möglich gehalten, daß wir uns heute so gegenübersitzen, ich in dieser Funktion als Landrat. Ich empfinde die Zeit für mich und für uns alle als befreiend. Sie ist von uns im Laufe des letzten dreiviertel Jahres bewußt mitgestaltet worden.

Vor einem Jahr haben wir wieder in Bulgarien Urlaub gemacht. Natürlich sahen wir damals nicht alles vollständig voraus. Aber wesentliche Änderungen deuteten sich vor allem durch den Massenstrom von jungen Leuten über Ungarn nach dem Westen an. Das hat uns selbst im fernen südöstlichen Europa nicht losgelassen. Ich habe nachts über Kurzwelle versucht, das Neueste aufzufangen.

Es war ja schon in den Jahren zuvor immer deutlicher geworden, daß wir uns sowohl politisch als auch wirtschaftlich auf einen Abgrund zubewegen. Die dirigistischen Mechanismen waren zwar hin und wieder etwas abgemildert worden, aber nur, um dann viel härter zuzuschlagen. Die hektische Aktivität, die Ende September noch entfaltet wurde, hat den letzten Akzent gesetzt. Der schwerste Mißgriff war, die Reisen in die Tschechoslowakei zu unterbinden. Das war ein völliger Bankrott.

Seit dem Frühjahr des letzten Jahres haben wir das zu allen Gelegenheiten deutlich ausgesprochen. Das hat uns auch dazu gebracht, mehr auf die oppositionellen Kräfte in den Kirchen einzugehen. Man hat ja, wenn man nicht in der Szene war, relativ wenig davon gewußt. Ich bin seit 1984 Mitglied der CDU. 1986 bin ich im Kreis Vorsitzender geworden. Das waren die ersten Vorbereitungen zu Veränderungen an der Basis der Partei. Der alte Vorsitzende hat durch seine heftige Blockbindung eine verhängnisvolle Rolle gespielt. Die Abgrenzung von der Kirche habe ich immer

117

bekämpft, ein Bestreben, das von der Parteiführung nicht nur auf Bezirksebene, sondern auch zentral gebremst wurde. Ich war durch Freunde über die verschiedenen Bewegungen innerhalb der Landeskirche und über deren Anliegen informiert. Immer mehr Leute, vor allem junge, fanden sich zusammen, so daß man sich schon wunderte, daß die frühere Staatsführung nicht darauf reagiert hat.

Die persönlichen Einschränkungen in den Reisemöglichkeiten für meine Frau und mich haben mich sehr betroffen. Als ich schließlich letztes Jahr in die Bundesrepublik fahren konnte, hat mich das Konsumangebot nicht niedergeschmettert. Aber das Gemeinwesen mit dem funktionierenden öffentlichen Leben hat mich beeindruckt. Die Möglichkeiten, die der Bürger in den Kommunen hat. Bei uns herrschte die Diktatur des Mittelmaßes. Man hat die Leute wie eine Hammelherde geschoben.

Das allerletzte war das «Sputnik»-Verbot. Das hat sehr viele vor den Kopf gestoßen. Die Diskrepanz zwischen den Anschauungen Gorbatschows und denen der SED-Führung hat den Leuten die Augen ganz geöffnet. Gorbatschow ist derjenige, der alles angeschoben hat. Er hat jetzt im eigenen Land die größten Probleme. Alle russischen Systeme in der Vergangenheit waren durch Radikalität gekennzeichnet. Da können Sie bei Peter dem Großen anfangen, da können Sie weiter zurückgehen. Die historische Dimension liegt auf der Hand. Das Volk ist vergewaltigt worden, sowohl in der Vergangenheit als auch in der jüngeren Geschichte. Das setzte natürlich Maßstäbe in der eigenen Haltung. Bei allem, was im Westen auf den Weg gebracht wurde, muß man Gorbatschow ganz hoch anrechnen, daß er die Lage so deutlich erkannt hat.

Wir haben uns voriges Jahr schwer verwahrt gegen die Haltung unserer Parteiführung bei der Erklärung der Volkskammer zu den Chinaereignissen. Das hat viele Mitglieder, mich eingeschlossen, in der Überzeugung bestärkt, daß es mit dieser Parteiführung nicht weitergehen kann. Die Protesterklärungen sind in Schreibtischschubladen verschwunden, was dann zu dem Brief aus Weimar führte. Die Verfasser waren prominente Mitglieder der thüringischen CDU. Man versuchte, das einfach zu ignorieren und die Verfasser in die Ecke zu stellen. Das war aber nicht mehr möglich. Mitte September 1989 ist der Brief erschienen, Ende September waren die Forderungen da, entweder mit der Basis eine andere Sprache zu sprechen oder zurückzutreten.

Durch den intensiven Forderungsdruck hat sich der Wandel in der CDU relativ früh angedeutet. Später haben sich viele gewundert, daß die CDU so schnell auf dem Weg der Erneuerung war. Das war wesentlich durch diese Bewegung bedingt.

Ich bin Arzt. Während der ersten öffentlichen Demonstration in unserer Stadt, Ende Oktober, hatte ich Dienst. Meine Frau kam voller überraschender Neuigkeiten. Sie berichtete über den Unmut, der sich äußerte. Damals waren noch der Erste Kreissekretär, der Vorsitzende des Kreisrates und der Kreisschulrat dabei. Die standen noch vorn. Die Leitung lag in freiwilligen Händen, durch den Superintendenten geschickt geführt. Es sind verschiedene Meinungen vorgetragen worden, und die Bevölkerung hat entsprechend reagiert.

Wir haben von da an klar gesagt, was wir wollen. Ich bin oft genug nach vorn gegangen und habe die Meinung der Parteibasis und der mittleren Führung der Partei vorgetragen. Nach dem 9. November war der Druck zur Vereinigung wieder da. Es war ja viele Jahre überhaupt nicht mehr davon gesprochen worden. Einflußreiche Politiker auf beiden Seiten hatten sich auf die Zweistaatlichkeit orientiert. Wir haben den Vereinigungsgedanken von Anfang an unterstützt, und die Resonanz war sofort da. Man war allein durch den Beruf als Persönlichkeit des öffentlichen Lebens bekannt, das hat natürlich ein gewisses Gewicht gehabt. Wenn ich sagte, wir treten für Rechtsstaatlichkeit ein und für die Möglichkeit, durch seiner Hände Arbeit und nicht durch Machenschaften etwas zu bewegen und zu erreichen, so ist das schon richtig aufgenommen worden. Und das hat sich dann letztes Endes im Wahlergebnis niedergeschlagen.

Als es darum ging, den Staatssicherheitsdienst wirklich zu entmachten, wurde Ende Dezember zu einem Marsch zur Kreisdienststelle aufgerufen. Ich habe hier noch nie so viele Menschen auf der Straße gesehen. Mit einer Ruhe und Disziplin, das hätte ich nicht für möglich gehalten. Es gab ein paar Hitzköpfe, von denen ich sicher bin, daß sie als Aufwiegler vorgesehen waren. Die riefen: «Hängt sie auf!» Oder: «Schlagt sie tot!» Die haben versucht aufzuputschen, die friedliche Stimmung umschlagen zu lassen. Die Kirche hat da eine sehr gute Rolle gespielt, allen Demonstrationen wurde ein Friedensgebet vorangestellt. Leipzig war das Barometer, dort wurde es immer radikaler. Wir waren auch skeptisch, ob die damalige Regierung nicht doch noch versuchen würde, etwas zurückzudrehen.

Wir haben nicht eine Änderung des wirtschaftlichen Konzeptes propagiert, ohne daß die Belange der Menschen dabei berücksichtigt werden sollten, sondern wir haben die Betonung auf das soziale Moment gelegt. Die Grundfrage, das Überleben eines politischen Systems, entscheidet sich in der Effektivität der materiellen Produktion. Wenn ich höre, daß ein Wirtschaftsbetrieb keine Eigenkapitalrücklagen haben durfte und damit völlig auf einen Apparat angewiesen war, der ihm alles vorschrieb, ist mir klar, diese Verzerrungen lassen sich nicht von heute auf morgen beseitigen. Das Wirtschaftswunder, auf das die Leute warten, müssen wir selber erwirtschaften.

Höchstens ein Viertel der Leute hat sich mit dem alten Staat identifiziert. Für die ist es schwer. Ein Großteil hat sich überhaupt nicht identifiziert, und die empfinden das, was jetzt läuft, auch nicht als würdelos. Sie kennen doch den Ausspruch: «Von uns drüben.»

Für viele ist es keine Selbstaufgabe. Es gibt natürlich bei unseren Brüdern drüben verschiedene Kategorien. Manche sagen, es war alles grundsätzlich falsch bei euch, ihr müßt das jetzt unbedingt genauso machen, wie wir das gemacht haben. Ein solcher Vertreter war ich nie, und kluge Mitstreiter aus der Bundesrepublik haben das nie gesagt. Natürlich gibt es auch da nicht nur Demokraten. Manche sind nur so lange Demokraten, wie sie als Staatsbürger nicht behelligt werden, wie sie ihren Neigungen nachgehen und ein geordnetes Leben unter verhältnismäßig guten sozialen und ökonomischen Bedingungen führen können. Wenn

120

das irgendwie in Gefahr gerät, werden sie munter und schreien nach dem Regulativ des Staates. Aber das ist in einem vertretbar geringeren Maße so, als dies bei uns der Fall war.

Ein großer Teil der Bevölkerung hat sich immer nach dem orientiert, wo man sich das Günstigste versprochen hat. Die sehen jetzt den Vorteil eindeutig, vorher haben sie sich eher abwartend verhalten. Es gibt für unterschiedliche Bereiche des Lebens unterschiedliches Pro und Kontra. Viele haben die relative soziale Sicherheit als durchaus selbstverständlich hingenommen, haben aber, je nach persönlicher Neigung, den Mangel an persönlicher Freiheit als drückend empfunden. Das Fehlen der Möglichkeit zu reisen, sich zu informieren, der freien Entfaltung der Persönlichkeit, auch der Wahl des Berufes – das hat mich und viele meiner Bekannten und Freunde sehr erbittert. Wir empfinden die letzten zwanzig Jahre als für uns verdorben. Nicht für das, was ich beruflich getan habe, das war nicht umsonst. Ich habe eigentlich erfolgreich arbeiten können. Aber was das Persönliche angeht. Wir hätten uns mehr informieren können über Moderne, Kunst, Kultur, in einem kosmopolitischen Sinn. Wir, meine Frau und ich, wir ertappen uns dabei, daß wir richtig in Wut geraten, wenn wir die Möglichkeiten von Kollegen oder Freunden oder Verwandten, die in vergleichbaren Verhältnissen leben, mal gegenüberstellen. Dann gibt es schon Grund, bitter zu sein. Wir sind wirklich um einige Jahre betrogen worden.

Meine Mutter ist Zuschneiderin gewesen. Mein Vater stammt aus kleinen Verhältnissen. Er hat sich hochgearbeitet vom Lokomotivenschlosser über ein eigenfinanziertes Studium zum Bauingenieur. Diese Generation hat zwei Kriege mitgemacht. Meinen Vater habe ich eigentlich erst 1949, als er aus französischer Gefangenschaft zurückkam, kennengelernt. Wir sind 1944 aus Breslau evakuiert worden, über verschiedene Zwischenstationen, über die Lausitz, vier Jahre in Sachsen. Meine Mutter hat die erste Nachricht, daß mein Vater lebt, erst 1947 erhalten. Ich bin Jahrgang 1939. Von meines Vaters Familie ist kaum jemand übriggeblieben. Man hat sich in den ganzen Wirren aus den Augen verloren. Nach vielem Hin und Her hat mein Vater eine leitende Stelle in der Bauindustrie bekommen. 1950 ist er in die Partei eingetreten, in die SED. Er hat aus seiner sozialistischen Überzeugung nie ein Hehl gemacht. Er selbst ist katholisch erzogen worden. Vieles hängt von ganz persönlichen Erfahrungen ab. Er sollte Priester werden, war Ministrant, aber negative Schlüsselerlebnisse mit Geistlichen haben ihn zum absoluten Gegner der Kirche gemacht. Er war sicher kein bequemer Genosse. Hat Repressalien über sich ergehen lassen. Hat aus diesem Grund in den fünfziger Jahren interessante Angebote, ins Ministerium zu gehen, ausgeschlagen. Aber seine Grundüberzeugung war links.

Ich bin einer der ersten gewesen, der Pionier geworden ist. Bei mir stand immer: Soziale Herkunft: «Intelligenz». Meine Mutter zählte ja nicht. Das hat mich immer gewurmt, daß da nach der sozialen Herkunft gefragt wurde. Kinder und Jugendliche sind bei solchen Ungerechtigkeiten außerordentlich kritisch. Es gab Schlimmeres als «Intelligenz», aber auch das war großen Schwankungen unterworfen. Ich habe eigentlich dank guter Lehrer eine gediegene Schulbildung bekommen, die einen guten Grundstock gelegt hat. Natürlich gab es unter den Lehrern auch Hohlköpfe, die da nur wegen ihres Parteibuches waren. Schüler sind dann sehr kritisch. Obwohl einige charakterlich nicht schlecht waren.

Ja, ich habe die Aktion gegen die Mitglieder der Jungen Gemeinde miterlebt. Wir haben uns mit denen solidarisiert. Ich bin damals Mitglied der FDJ gewesen. Das war in den frühen fünfziger Jahren noch echt jugendorientiert. 1954 bin ich beim Deutschlandtreffen gewesen. Wir hatten aber auch bereits unangenehme Erfahrungen. Ich denke besonders an einen Lehrer, einen ehemaligen SS-Mann, der in die Partei eingetreten war und nun besonders forsch auftrat. Er war Geschichtslehrer, und wir haben natürlich auch unbequeme Fragen gestellt. Ich war ja durch den Heimatverlust betroffen. Er hat das in bezug zum Potsdamer Abkommen und zur Bildung der polnischen Westgrenze gebracht und uns als Revanchisten hingestellt. Meine politische Weltanschauung ist besonders bei der Kampagne der Werbung für die Armee ins Wanken geraten. Dieser Mann war dann derjenige, der ganz klar gesagt hat: «Entweder verpflichtest du dich für zwei Jahre, dann bekommst du eine gute Beurteilung. Oder du bekommst eine schlechte. Kannst dir ja überlegen, ob du studieren willst oder nicht.» Das war für mich ein Schlüsselerlebnis. Mein Vater hat sich sehr darüber geärgert. Ich wollte Chemie studieren. Später habe ich mich für Hochfrequenztechnik interessiert. Meine Mutter war mehr für Medizin, wegen des Sozialprestiges.

Um studieren zu können, mußte ich also zwei Jahre zur Armee.

Nein. Das Land verlassen, diesen Weg haben ja viele gewählt, das stand für mich nicht zur Debatte, weil mir mein Kontakt zur Familie zu wichtig war. Später hätte ich es auch als Vertrauensbruch meinen Patienten gegenüber angesehen. Vielleicht hätte ich Verständnis erwarten können, wenn ich massiv unter Druck gesetzt worden wäre. Aber nicht aus materiellen Gründen.

Die zwei «freiwilligen» Jahre Armee habe ich relativ gut überlebt, ich bin anpassungsfähig. Ich bin kaum in soldatische Formationen eingeteilt gewesen, habe für die Armeezeitung fotografiert und das Fotolabor geleitet. Ich hatte auch Angebote für eine Armeekarriere. Das ging bis zur Suchorow-Akademie. Die Angebote waren durchaus verlockend, aber meine Eltern haben mich bestärkt, das nicht zu tun.

Ich habe mich dann doch für Medizin entschieden. Weil damals viele Ärzte das Land verlassen hatten, wurden zusätzliche Studienplätze in anderen östlichen Ländern für die vorklinische Ausbildung bis zum Physikum hin eingerichtet. So kamen wir, meine Frau und ich, nach Bulgarien. Da waren einige ausgesprochen radikale Vertreter des gesellschaftswissenschaftlichen Grundstudiums da. Die fungierten als Betreuer, und sicher hatte auch die Staatssicherheit ihre Hände im Spiel. In der Zeit wurde man auch wegen Parteimitgliedschaft angesprochen. Ich habe bei einer solchen Gelegenheit zwei Fragen gestellt und wurde damit als politisch unreif abqualifiziert. Damit war für mich die Sache klar: Da gehst du nicht rein. Von vornherein wurden irgendwelche Erklärungen erwartet, bedingungsloses Unterordnen. Später, in den siebziger Jahren, kam ein Kollege, der als Kreisarzt tätig war und der offenbar beauftragt war, an mich heranzutreten. So ungefähr: «Da müssen noch ein paar Leute von unserem Schlag rein, damit wir was bewegen.» Aber da war bei mir schon nichts mehr zu machen.

1961 kamen wir nach Leipzig und haben die Verschärfung der politischen Situation als außerordentlich schlimm empfunden. Da wurde mit uns in einem Ton gesprochen... «So, jetzt könnt ihr nicht mehr weg. Jetzt bestimmen wir die Politik. Und wer jetzt nicht kuscht, der fliegt raus.» So wurde auch gehandelt. Diese Vertreter der Gewi-Fraktion, wie die aufgetreten sind, also das hat mir den letzten Rest gegeben. «Wer nicht für uns ist, der ist gegen uns.» Und da sind wir natürlich auf Distanz gegangen.

Nach dem Studium haben wir erst auf dem Land gearbeitet. Dann die Facharztausbildung in einer soliden, kameradschaftlichen, schönen Atmosphäre. Ich habe immer lieber mehr Aufgaben übernommen als zuwenig. Wurde auch in Leitungsaufgaben einbezogen. Bei unserer Arbeit mußte man immer das soziale Umfeld einbeziehen. Für Kinder sind Unsummen ausgegeben worden, aber zu undifferenziert, zu uneffektiv. Die Individualität galt nichts, es war ein System der Gängelung. Die Achtung vor dem Kind war deutlich unterentwickelt. Wir haben uns immer wieder gewundert, wenn in Ländern, die wir im Vergleich zu uns als rückständig ansahen, in den Transportmitteln die Erwachsenen für die Kinder aufstanden. Daß überhaupt die Einstellung zum Kind eine andere ist. Das Verständnis des Deutschen ganz allgemein für das Kind, das Kind als Persönlichkeit, da haben Sie recht, läßt zu wünschen übrig. Diese Ausrichtung im ganzen Erziehungswesen bei uns hat die Entwicklung der Individualität sehr behindert. Ich habe in meiner Familie keine autoritären Strukturen oder Verhaltensweisen festgestellt. Ich muß aber sagen, ohne mich als Tugendbold hinzustellen, ich habe es auch nicht mißbraucht.

Die Studenten sollten ihre materiellen Forderungen nicht zu hoch schrauben. Natürlich müssen die höheren Lebenshaltungskosten berücksichtigt werden und eine gewisse materielle Absicherung muß schon sein, damit ein Student nicht von seinem eigentlichen Anliegen, nämlich zu studieren, zu weit abgedrängt wird. An Familie gründen hätten wir damals gar nicht zu denken gewagt. Wir waren froh, daß wir ein möbliertes Zimmer in Leizpig beziehen konnten, nachdem wir zwei Jahre unter sehr schlechten Internatsbedingungen hinter uns hatten. Ein Student muß auch genügend Möglichkeiten haben, sich kulturell und geistig zu betätigen. Aber er kann nicht verlangen, in einem rundum gesicherten Wohlstand zu leben.

Einen gewissen Lagereffekt kann man unseren Bürgern nicht absprechen. So werden sie auch empfunden, vor allem wenn sie in Gruppen auftreten. Das wird noch einige Jahre so sein. Ich merke das selbst im Kollegenkreis, besonders bei Kollegen, die immer willfährig waren, die nur im kleinen Kreis geschimpft haben, die sich immer wieder gedemütigt haben. Das ist etwas besonders Schlimmes. Ich habe mehrfach solche Situationen gehabt, daß ich gesagt habe, jetzt ist Schluß, bis hierher und nicht weiter, egal welche persönlichen Konsequenzen das für mich nach sich zieht. Ich trage das nicht mit und gebe dafür nicht meinen Namen her. Ich habe die Erfahrung gemacht, daß das letztendlich akzeptiert worden ist. Nun muß ich aber sagen, ich war hier in einer Situation, daß man schlecht hätte sagen können: «Na gut, auf den können wir verzichten.» Andere waren nicht in der Situation. Ich war nie auf Konfrontation von vornherein erpicht. Wenn man zusammenlebt, muß man das suchen, was zusammenhält. Das schließt Konflikte nicht aus.

Der Prozeß, den wir jetzt auf den Weg gebracht haben, der ist unaufhaltsam. Das ist nur eine Frage der Geschwindigkeit und der geordneten Bahnen. Ohne Hilfe geht es jetzt nicht. Für uns wäre es natürlich wesentlich würdevoller, wenn wir mehr eigenes, und zwar nicht nur dem Worte nach, sondern was wirklich untersetzt ist, mit einbringen könnten. Aber wenn es unumgänglich ist, muß man sich unterwerfen, man kann nicht, wenn man nichts hat, noch als großzügiger ... also, die Zwänge werden immer deutlicher.

Ich bin sicher, daß die gesamtdeutsche CDU wesentlich sozialer sein wird als die bundesdeutsche – das ist keineswegs eine homogene Partei und schon lange keine reine Unternehmerpartei, es gibt rechte und linke Flügel und einen starken Frauenflügel –, weil eine vernünftige Marktwirtschaft nur in einem sozial ausgeglichenen Klima gedeihen kann. Wenn sozialer Frieden und Arbeitsfrieden nicht gewährleistet sind, kommt es zu keiner vernünftigen Arbeit, kann das Gemeinwesen nicht florieren.

Die Volkskammerwahl war ein eindeutiges Votum in Richtung Deutschland.

Ja, das habe ich drüben schon verschiedenen gesagt: «Sie brauchen mir das nicht zu erklären, ich habe es miterlebt. Sagen Sie lieber, wie wir es packen können. Hilfe zur Selbsthilfe.»

5. August 1990

Das tägliche Poker

Ich bin hergekommen, weil es dich interessiert, nicht weil ich mich produzieren will.

Ich sehe die Zeit sehr gemischt. Aber mein erster Eindruck ist, es ist wahnsinnig aufregend. Alles geht sehr durcheinander. Man erlebt seit einem halben Jahr mehr als vorher in zwanzig, dreißig Jahren. Da ich ein Mensch bin, der die Aktion liebt, ist das alles unheimlich spannend. Insgesamt ist es auf jeden Fall besser als diese Friedhofsruhe, die vorher herrschte. Absolut. Da sind zwar viele Leute, die nicht zurechtkommen, aber ich finde, da muß man durch. Ich habe auch Probleme, aber ich weiß, wenn man sich da durchbeißt, dann ist es besser. Mit dem Identitätsgefühl ist es sicherlich sehr unterschiedlich. Zum Beispiel bei Leuten, die sich sehr engagiert haben, die sehr weit vorn mitgespielt haben, wird es wohl schlimmer sein.

Das Komische ist, wenn mich früher einer gefragt hat, warum ich nicht abhauen möchte, habe ich gesagt: «Ich bin so ein gutmütiger Mensch, ich würde dort überhaupt nicht zurechtkommen.» Ich war fest davon überzeugt, daß ich untergehe in der Ellenbogengesellschaft, in der Wolfsgesellschaft. Als es dann ersichtlich war, daß hier alles so schnell dahin geht, habe ich auch Angst gehabt. Aber je mehr man reinsehen konnte, da merkte man, die können auch alle nur lesen und schreiben. Ich habe mich bei einer Westfirma beworben, noch über den Betrieb. Ganz ordentlich, weil das ein Gemeinschaftsunternehmen ist. Ich wurde zu einem Aufnahmegespräch eingeladen. Nachdem wir eine Stunde lang geredet hatten – es waren ganz tolle Leute, und es ging ganz locker zu –, holten die gleich den Vertrag aus der Tasche. Ich hatte gar nicht damit gerechnet, daß es klappt. Hinterher hatte ich ein Gefühl, als hätte ich etwas Ungeheures vollbracht, daß ich dort saß, nicht weil irgend jemand fand, ich sei dafür würdig, und nicht weil ich angesprochen worden war, weil jemand zu mir gekommen war, der sagte, wir haben dich vorgesehen, sondern daß alles auf meinen eigenen Entschluß hin geschehen war. Das war ein Gefühl! Ich saß wirklich da, weil ich das wollte. Und daß es so auf Anhieb klappte, wo ich doch immer dachte, ich komme überhaupt nicht zurecht.

Es ist nicht so, daß man da im Regen steht. Daß die sagen, nun mach mal, und man muß sehen, wo man bleibt. Man kriegt alle Informationen, die man braucht, und alle möglichen Hilfen und Unterstützungen. Ich war bei einem Intensivlehrgang. Die Firmen investieren viel in ihre Leute. Der Kurs ging über acht Wochen und kostete 25 000 DM pro Teilnehmer. Ich habe mich früher immer gewundert, wenn man mit Ausländern oder Westdeutschen zu tun hatte, mit irgendwelchen Chefs, die zu Verhandlungen kamen, und die haben ihre Karten rübergereicht, daß da nirgends Titel draufstanden. Also kein Diplom-Dings. Jedenfalls selten. Bei den Machern, den Managern, stand nur der Name. Und ich habe immer gedacht, bei uns muß man, um nur Abteilungsleiter zu sein, wenigstens Hochschulabschluß besitzen, und dort ist das offensichtlich nicht so wichtig. Wer da Chef werden will, der macht acht Wochen oder ein Vierteljahr so einen Lehrgang. Und da bekommt er genau das vermittelt, was er für seinen Job braucht, speziell auf das Fachgebiet bezogen. Nicht ein Wort zuviel, aber auch nicht eines zuwenig. Die Teilnehmer waren alles junge, aber gestandene Leute, und die haben gleich Fragen aus ihrer Praxis gestellt. Und die Vortragenden waren überhaupt nicht verwirrt, sondern haben sofort geantwortet.

Ich habe ein Ökonomiestudium gemacht, und ich muß sagen, aus heutiger Sicht waren siebzig bis achtzig Prozent überflüssiges Zeug. Eine Betriebswirtschaftsklausur mußte eben mit dem Satz anfangen, daß es echte Betriebswirtschaft nur im Sozialismus geben kann. Und in einer anderen Abteilung vielleicht, daß es echte Materialwirtschaft nur im Sozialismus geben kann.

Dieser Professor von dem Kurs macht nebenbei Unternehmensberatung, steht also voll in der Praxis. Macht Effektivitätsberechnungen. Weiß, wer gerade pleite gegangen ist und wer gerade eine gute Konjunktur hat. Und das flicht er ein. Unglaublich. Die DDR-Bürger waren total uneffektiv. Wenn wir schon sagen, wir sind um etwas betrogen worden, viele sagen es ja heute, dann vielleicht darum, was man alles hätte lernen können. Man gab sich ja Mühe, war fleißig. Und dann sieht man eben jetzt, daß da doch große Unterschiede sind.

Die Strukturen haben Mittelmaß produziert und alles andere verhindert. In meiner neuen Firma hat jeder Sachbearbeiter seinen Spielraum. Er kann selbst entscheiden. Bis er einen Fehler macht. Was dort eine Sekretärin ist – das sind Welten. Es ist ja nicht so, daß die Menschen bei uns nicht arbeiten wollen. Aber sie sind nicht effektiv. Man muß umdenken. Nicht warten, bis man alles gesagt bekommt.

Also, wenn du von jungen Leuten sprichst – ich bin zweiundvierzig, und ich finde nicht, daß mir das schon zusteht, mich als alte Schachtel aufzuspielen. Ich habe wirklich gelesen, daß die jungen Leute alle so ratlos und frustriert sind, sich schlecht behandelt fühlen und so gar keine Zukunft für sich sehen. Ich kann das gar nicht verstehen. Ich habe mich mit dem Sohn meiner Freundin unterhalten, der hat jetzt sein Abitur gemacht, mit Auszeichnung. Der geht für ein Jahr nach Paris, und danach in die USA, um zu studieren. Der findet das wunderbar. Sagt aber, es ist auch in seiner Klasse verbreitet, daß alle sagen, es hat mit dem Studienplatz nicht geklappt, was soll ich denn nun machen. Haben ein Abitur in der Tasche, was überall anerkannt wird, außer im Freistaat Bayern. Und da klagen sie, daß es an der Hochschule hier oder da nicht geklappt hat. Da ist eben Umdenken nötig. Na, da geht man eben mal ein Jahr arbeiten. Man muß den Leuten auch sagen, daß es unheimlich schön ist. Alle Grenzen sind offen. Wir haben immer davon geträumt. Haben uns immer diszipliniert.

Ich kann es nicht verstehen. Ich verstehe es bei Leuten in unserem Alter, die nicht so wach und kritisch waren. Aber bei den Achtzehnjährigen... Was wollen die denn eigentlich? Doch auf jeden Fall nicht, daß die früheren Verhältnisse wiederhergestellt werden, wo alles so schön ordentlich war und sich alles unter der Oberfläche abspielte.

Vielleicht sind Leute aus bestimmten Familien immer sicher gewesen, sicher gewesen, daß sie die Macht sind. Das ist, glaube ich, auch ein schlimmes Gefühl, wenn das dann weg ist.

Ich habe ja jetzt meine ersten Kontakte mit den neuen Mächten, mit Leuten von Banken vor allem, und die sind ja nun überhaupt nicht besser als die alten. Die Geldmacht ist wirklich nur anders. Das ist schon ulkig. Die Leute wissen sehr, daß sie die Macht haben. Wobei mir wiederum daran gefällt, daß alles offen abläuft, so offen, daß ich mich gar nicht richtig gruseln kann. Das ist schon wieder komisch, wie die sich aufführen. Aber irgendwie ist es natürlich gruslig. Da spricht wirklich die Macht. Alle, die da so ein bißchen oben schwimmen und was zu sagen haben. Andererseits war es ja bei uns gerade das Schlimme, daß Leute, die die Macht hatten, immer so getan haben, als ob sie überhaupt nicht..., sondern das Volk, und der Mensch steht im Mittelpunkt. Und die geben es nun also offen zu, daß sie selber im Mittelpunkt stehen.

Früher hatte der Verkäufer in der Mangelwirtschaft etwas zu bieten, und da mußten die Kunden unheimlich kratzen, wenn sie was haben wollten. Möglichst mußten sie Beziehungen haben. Jetzt fangen die Kunden an zu begreifen, daß sie die Macht sind. Das sind jetzt erst die Anfänge. Vielleicht wollen manche das jetzt auch einfach einmal ausprobieren. Aber Fakt ist, daß nur für den Kunden produziert wird, daß ein erbitterter Kampf unter und über der Gürtellinie um den Kunden stattfindet.

Du hast es ja auch geschrieben, daß eben alles sehr rationell und sachlich zugeht, und nach diesem Schwulst früher ist das gar nicht verkehrt. Natürlich wäre es mir lieber, wenn unsere Gesellschaft so wäre, daß man sich dafür aufreiben könnte. Es hat eben auch Seiten... Aber jetzt sagen schon einige, was nützt mir Paris. Also das nützt mir sehr wohl.

Wenn du in einem Unternehmen fest angestellt bist, dann geht es da sehr sozial zu. So sozial wie manchmal hier nicht.

Ich bin ein dickes rotes «A» gewesen. Arbeiterkind also. Vater Bauarbeiter, Mutter Hausfrau und nach der Scheidung Reinmachefrau. Wir waren fast immer Sozialfall, mit allen staatlichen Unterstützungen und Hilfen. Ich war ein eifriger Pionier und FDJler, habe immer das Positive mitgenommen, war immer loyal. Daß ich nie in der Partei war, hatte Disziplingründe. Diese Disziplin hätte ich nicht durchgestanden. Die Theorie fand ich sehr in Ordnung, die Praxis immer weniger.

Die Ehe meiner Eltern, das war keine richtige Ehe. Wir, meine Schwestern und ich, haben meiner Mutter zur Scheidung geraten. Unser Vater hat getrunken und wüste Drohungen ausgestoßen. Oder er hat Versprechungen gemacht, die er nie eingehalten hat. Ich erinnere mich nicht mehr genau. Nur, meine Mutter hat eben Magenkrebs gehabt und nur noch achtzig Pfund gewogen. Meine Mutter war ein absoluter Kämpfer, hat alles allein gemanagt, mit allen Möglichkeiten, die es damals gab, legal und nicht legal, um uns durchzubringen. Mutter hat uns Achtung abgerungen, durch die praktischen Sachen, die sie gemacht hat. Sie hat nie an uns rumerzogen, wir haben in dem Sinne keine Erziehung gehabt. Mir ist ganz wenig verboten worden. Ich war dadurch immer sehr selbständig.

Meine Mutter hat mir auch bei den Kindern und im Haushalt geholfen, sonst hätte ich es gar nicht geschafft. Ich schaffe das auch jetzt nicht. Unser Haushalt funktioniert so, daß immer der was macht, der die schlechteren Nerven hat, also ein ewiger Poker. Ich fühle mich also nicht wesentlich mehr verpflichtet als mein Mann. Er fühlt sich vielleicht sogar mehr verpflichtet, aber die Vernunft sagt ihm, daß dies gefährlich ist. Im Anfang war er nicht sehr erfreut, aber inzwischen können wir damit umgehen. Nur, daß es etwa einmal im Jahr zur Krise kommt. Er ist sehr verschlossen. Man muß ihn eben zwingen, mit allen erlaubten und unerlaubten Mitteln, sonst geht es wirklich nicht. Man wird mißtrauisch und fühlt sich abgeschoben. Aber eine Beziehung ist ja nicht einfach so da, sondern man muß auch daran arbeiten, und da ist es meistens so, daß einer eben mehr daran arbeitet als der andere. Ich habe nur noch nicht rausbekommen, ob der, der mehr tut, auch das größere Interesse daran hat. Wenn das nun offensichtlich ist, daß man nicht zufrieden sein kann, und einer sagt, er ist zufrieden?

Warum er noch in der Partei ist, ich weiß es wirklich nicht. Das ist wie mit unserer ehemaligen Führung. Früher hat man immer gesagt, die Genossen werden sich schon etwas dabei gedacht haben. Und dann stellte sich nach vierzig Jahren heraus, die haben sich überhaupt nichts dabei gedacht. Das könnte ich mir bei meinem Gatten auch vorstellen.

Wenn ich eines Tages mal rauskriege, was ihm wichtig ist, dann rufe ich dich an. Ich versuche immer rauszukriegen, wo ich da bin, bei der Wichtigkeit...

Als du uns voriges Jahr auf dem Balkon deine Liebesgedichte vorgelesen hast, da habe ich dich ganz wahnsinnig beneidet.

19. Juli 1990

Der Mensch lebt vom Optimismus

Ich bin davon ausgegangen, daß wir die in der Landwirtschaft anstehenden Probleme diskutieren und vor allem nach Lösungswegen für die Menschen Ausschau halten, die ihr Leben eh und je in der Landwirtschaft verbracht haben. Die privaten Dinge lassen Sie bitte alle raus.

In dieser Gegend gab es vor allem ehemalige Bauern mit kleinen und mittleren Betrieben. Gezwungenermaßen sahen sie 1960 eine neue Perspektive, die sie selbst mitgestalten mußten, sonst wäre nichts daraus geworden. Sie sahen das im Hinblick auf die Probleme einzelbäuerlicher Betriebe in der Bundesrepublik zum Teil durchaus positiv, da durch den Bau neuer Ställe und durch die großen Flächen zum Beispiel geregelte Arbeitszeiten möglich wurden. Zehn Jahre funktionierte das auch.

Ja, ich kann nachvollziehen, wenn jemand jetzt ein ganz großes Gefühl hat bei seiner ersten Furche, wieder auf dem eigenen Feld. Denn nach den ersten zehn Jahren, in denen die genossenschaftliche Arbeit gut funktionierte, folgte die absolute Enttäuschung. Das Genossenschaftsgesetz, das insbesondere die Fragen der Verteilung, Akkumulation und Konsumtion beinhaltete, wurde mit dem Beginn der Honecker-Ära, also mit dem VIII. Parteitag, über Bord geworfen. Ähnlich wie im Handwerksbereich wurde den Leuten gesagt, die «Entwickelte Sozialistische Gesellschaft» verlange eine umfangreichere Planung. Und diese Planung beinhaltete nicht nur den produktionstechnischen Teil, sondern auch die Verteilung. Das wurde über die Partei und den Staatsapparat, was ja verschmolzen war, gesteuert. Die Leute fühlten sich gegängelt.

Ich war nicht in der Partei. Ich bin 1976 in die Bauernpartei eingetreten, weil in unserer Genossenschaft fünfundzwanzig Leute in der Bauernpartei waren und nur fünf in der SED. Diese

Genossenschaft vergrößerte sich 1968/69. Das geschah wie nach Generalstabsplanung. Es wurde gesagt, sozialistische Produktionseinheiten können nicht nur die Gemeindegrenzen sehen, sondern wir müssen darüber hinaus gehen: Wir brauchen tausend Hektar. Wir brauchen zweitausend. Und wenn nun irgendein Natschalnik verkündete, er hat zweitausend zusammen, dann mußte der andere Befehlshaber im Nachbarkreis diese Größe unbedingt überbieten. Fachleute wurden nicht mehr gefragt. Über optimale Betriebsgrößen wird in der ganzen Welt geforscht, und das ist natürlich jeweils sehr stark standortabhängig. Aber das spielte überhaupt keine Rolle. Die Kooperation, die hier zustande kam, hatte eine Ausdehnung von fünfunddreißig Kilometern. Die Meinung der Fachleute wurde einfach nicht gehört. Die bezirklichen «wissenschaftlichen» Institute hatten zu errechnen, daß trotz dieser Fehlentscheidungen ein Gewinn rauskäme. Das Ergebnis war, daß allein in dieser Kooperation Millionen Zuschüsse erforderlich waren, nur um den Leuten zu beweisen: Die Partei hat recht gehabt, entgegen aller «Unkenrufe». So haben wir gewirtschaftet, bis der Staat pleite war. Die Fachleute standen vor der Wahl, entweder sie machen diesen Blödsinn mit, oder sie wenden sich ab. Das Abwenden war das Schwierigere. Einmal, weil man ins politische Abseits gerückt wurde. Aber man mußte sich auch die Frage stellen, wie lebt man hier weiter? Was ist mit der eigenen Existenz? Was kann man mit seiner Qualifikation noch anfangen?

Ich stamme hier aus diesem Gebiet und habe hier meinen Wirkungsbereich gesehen. Ich war Vorsitzender einer LPG und gleichzeitig Leiter vom agrarökonomischen Forschungsstützpunkt. Meine Aufgabe bestand vor allen Dingen darin, respektable Ergebnisse in der landwirtschaftlichen Produktion zu erreichen und die nicht nur zum Jahresende abrechnen zu können, sondern von der Methode auch jungen Leuten etwas zu vermitteln. Jungen Leuten im Studium, im Praktikum. Überall sind die Probleme anders. Wir haben zum Beispiel hier die leichten Böden und die Hanglagen. Aber der zentrale Schematismus führte dazu, daß die Zweitausender Milchviehanlagen oder Aufzuchtanlagen für viertausendvierhundert Jungrinder einfach in die Landschaft gesetzt worden sind. Die Veranstalter gaben anschließend den Fachleuten den Auftrag, nun macht etwas daraus, denn dafür werdet ihr ja bezahlt. Das Pferd wurde also genau vom Schwanz her aufgezäumt. So konnte alles gar nicht anders kommen. Seit Mitte der siebziger Jahre ging es immer tiefer runter.

Wir hatten in der Landwirtschaft in den ersten zehn Jahren nach der Kollektivierung wesentlich besser gewirtschaftet. Auf dieser Basis weiter gegangen, mit neuer Technik, mit neuen Verfahren, das hätte zweifellos dazu geführt, daß wir heute eine Landwirtschaft hätten, die weltweit konkurrenzfähig wäre. Die Initiative der Menschen wäre weiter gefordert worden, allein dadurch, daß die Entwicklung für sie überschaubar geblieben wäre. Doch bei diesen Eingriffen wurden die Menschen nicht mehr gefragt, nicht mehr gebraucht, nicht mehr nach Leistung vergütet. Gute Leute arbeiten dann noch zwei oder drei Jahre weiter, in der Hoffnung, dieser Blödsinn wird sich eines Tages erledigen. Aber irgendwann ist es mit der Hoffnung zu Ende, und das Ganze schlägt furchtbar schnell in Gleichgültigkeit und Resignation um. Jeder sucht dann für sich persönlich einen Ausweg.

Dieser Ausweg bestand ab Anfang der achtziger Jahre zunehmend in individueller Produktion. Jeder seinen Neigungen entsprechend. Wenn diese Nebenproduktion die Größe des Hobbys überschreitet, wird das zur Belastung.

In den ersten zehn Jahren der Genossenschaften wurden zum Beispiel die Ergebnisse eines Dorfes im Vergleich zu anderen Dörfern gesehen. Es gab eine Wettbewerbsatmosphäre. Später waren die Erfolge nicht mehr da. Sie standen nur noch in der Zeitung. Die Leute, die vor Ort die Arbeit verrichteten, glaubten diesen Zahlen sowieso nicht mehr, weil sie an Hand ihres eigenen Arbeitsbereiches belegen konnten, daß es nicht stimmte. Die Leute sollten glauben, daß wir uns beinahe in Richtung Weltmeister bewegten, was die Hektarerträge anbelangte.

Anfang der siebziger Jahre haben wir Milch noch zu fünfzig bis fünfundfünfzig Pfennigen je Liter produziert. Der Verbraucher zahlte zweiundsiebzig. Damit waren zwar der Transport, die Molkereikosten und der Wiederverkauf über den Handel nicht voll abgedeckt. Aber immerhin, die notwendigen staatlichen Subventionen nahmen sich doch recht bescheiden aus, im Vergleich zu dem, was in den nächsten Jahren kam. Durch die totale Umorganisation blieb das Geld an den Rädern hängen. Das heißt, die Transportkosten wurden allein so hoch, daß die Gemeinkosten sprunghaft stiegen. Und um die Verbraucherpreise halten zu können, mußten die staatlichen Subventionen ständig erhöht werden. Die Uneffektivität durch Formalismus, Schematismus und totale Administration führte dazu, daß im Laufe der zwanzig Jahre die Selbstkosten je Liter Milch, die der Betrieb unbedingt bekommen mußte, auf 1,73 Mark stiegen. Es war eine absolute Scheinrentabilität. Wir sind schließlich nur noch so rangegangen, daß wir gesagt haben: Laß die Dummen regieren, irgendwann geht's zu Ende. Das war die Resignation. Nicht mehr aufbäumen. Das war etwa nach dem X. Parteitag, also so ab 1981. Wenn Sie so fragen – ich wäre weggegangen. Wenn jetzt nicht die Wende gekommen wäre, ich wäre gegangen. Die Geduld war schon zu lange strapaziert. Ich hätte alles stehen- und liegenlassen. Der Hoffnungsschimmer wurde immer schmaler. Es bestand eigentlich gar keine Aussicht mehr, daß sich noch etwas ändert. Etwa wie in Ungarn, wo man schon vor fünfzehn Jahren die Kurve gekriegt hat.

Durch diese totale Administration der letzten fünfzehn Jahre wurde volkswirtschaftliches Vermögen an Stellen festgelegt, an denen nichts damit anzufangen ist. Auf das muß man nun verzichten. Zum Beispiel auf die Zweitausender Milchviehanlagen oder die Schweinekombinate mit den hundertachtzigtausend Schweinen. Das ist eine absolute Wirtschaftsidiotie. Unser Bezirksparteioberen wollten unbedingt die Größten sein und wollten das durch ihre Abteilungen «Wissenschaft und Technik», also durch die Bezirksinstitute bewiesen haben. Die mußten also gegen die Bauern antreten und denen klarmachen, daß es sinnvoller ist, hundertachtzigtausend Schweine auf einem Haufen zu haben als in jedem Ort Schweine zu halten.

Mit dem Großteil dieser Investitionen können wir heute kaum noch etwas anfangen, es ist vergeudetes Volksvermögen. Wir müssen eigentlich beim Stand von Anfang der siebziger Jahre wieder anknüpfen. Ich gehe nicht davon aus, daß alles reprivatisiert werden kann. Die Entwicklung ist weitergelaufen. Die Landwirtschaft kann nicht mehr in Größenordnungen von fünfzehn oder zwanzig Hektar betrieben werden. Auch nicht mit zehn oder zwanzig Kühen. Die Ansatzpunkte finden wir dort, wo wir eigentlich durch die Administration mit Beginn der Honecker-Diktatur aufhören mußten.

Wir haben falsche Strukturen, aber auch noch zu viele Verfechter der alten Organisationsformen. Die Leute in den Dörfern sehen noch keinen Ausweg. Also gehen die alten Leiter für einige Zeit in die Bundesrepublik, kommen wieder und berichten den Bäuerlein hier: «Wir haben jetzt gesehen, wie die Landwirtschaft funktioniert. Bleibt mal hübsch beim alten. Wir können durchaus so wie bisher weiterfahren. Dann habt ihr wieder eine Perspektive.»

Sie vergessen, daß der Wettbewerb nicht nur in der Bundesrepublik, sondern im ganzen EG-Raum außerordentlich hart ist. Würden sie das begreifen, würden sie nie so leichtfertig über solche ernsten Probleme sprechen. Und die vergessen auch total, daß in den letzten zehn Jahren das persönliche Engagement der Leute für ihren Arbeitsplatz niedergemacht wurde. Die Leitungsaufgabe wäre nun, Rahmenbedingungen für die Leistungsentfaltung des einzelnen zu schaffen. Aber das kann ich von den bisherigen Leitern nicht erwarten, entweder wegen mangelnder Fachkenntnis oder wegen Befangenheit. Viele warten von Monat zu Monat, ob die neue Regierung endlich mal einen brauchbaren Vorschlag, wie wir weitermachen sollen, auf den Tisch legt. Meine Antwort ist immer die: «Darauf braucht ihr nicht zu warten.»

Die EG ist so leistungsfähig, daß hier, selbst wenn gar keine landwirtschaftliche Produktion mehr stattfinden würde, dennoch eine volle Versorgung gewährleistet wäre. Wir würden damit den EG-Finanzhaushalt nur entlasten. Also gibt es von dieser Seite aus gar kein großes Interesse an einer Intensivierung bei uns.

Wir müssen unsere Landwirtschaft so betreiben, daß sie ungefähr dem Verbrauch dieser sechzehn Millionen angepaßt ist.

Bisher waren wir ja ganz anders gepolt. Es wurden Exporte in die EG auf Grund unseres Sonderstatus getätigt, mit enormem Produktionsmittelaufwand. Unter anderem Stickstoffdüngung in total überzogenen Mengen. Von Umwelt wurde zwar geredet, sie spielte aber überhaupt keine Rolle. Wenn es dennoch mit den Erträgen nicht klappte, wurden die Zahlen gefälscht. Wenn man das mal hochrechnet, wurden jährlich ungefähr eine bis anderthalb Millionen Getreide rangeschwindelt, die plötzlich fehlten und Hals über Kopf auf dem Weltmarkt ranorganisiert werden mußten.

Ich hatte mir gesagt, eines mache ich nicht: Ich schände nicht meinen fachlichen Ruf. Lieber eine andere Tätigkeit ausüben, aber nicht mehr zu stark in diesen Apparat integriert sein.

Das war ein harter Entschluß. Man hätte gewußt, wie es laufen sollte. Nicht nur ich, die Mehrzahl der Kollegen wußte das. Aber nach ihnen ging es nicht. Und heute müssen wir uns erst einmal zurückerinnern, wie eigentlich Landwirtschaft betrieben werden müßte. Zum Beispiel, wieviel Dünger der Boden eigentlich verträgt. In einem Betriebsteil, etwa zweitausend Hektar Futterfläche, wurde versucht, durch vollkommen überzogenen Düngeraufwand – Stickstoff, hundert Kilo pro Hektar – höhere Erträge zu erreichen. Es sind also jährlich zweihundertvierzigtausend Kilogramm Reinstickstoff auf die Flächen ausgebracht worden, die sich irgendwo im Wasser wiedergefunden haben, vom kleinen Vorfluter bis hin zum Stausee. Allein für diesen wirtschaftlichen Unsinn mußten neunhundert Tonnen Dünger produziert, transportiert, ausgeladen, umgeschlagen, ausgestreut werden. Der Kostenaufwand ist ungefähr auf eine bis anderthalb Millionen zu beziffern. Und das stand vor drei Jahren fest.

Ich habe Eingaben gemacht. Aber das durfte ja nirgends hingelangen. Können Sie sich vorstellen, wie man sich nun freut, daß hier eine Wende gekommen ist.

1989, ich war dabei, im Herbst. In Leipzig einmal, im November, und natürlich in unserer Kreisstadt. Ich hätte nie geglaubt, daß das Aufbegehren hier eine so breite Resonanz finden würde. Die Bedrückung war für jeden eine andere. Allein schon diese gemeinsame Erfahrung mit Gängelei und Bevormundung durch Leute, die nicht einmal gute Fachleute waren. Jeder stellte sich doch die Frage, wer hat eigentlich noch das Sagen. In jedem Betrieb sind Verbesserungsvorschläge gekommen. Die einfachsten, die logischsten, die überschaubarsten – was wurde daraus? Nichts. Daraus ergab sich die in die Breite gehende Resignation. Das war natürlich keine Erfüllung in der täglichen Arbeit. Es wurde nur noch Dienst nach Vorschrift verrichtet, und für die Entfaltung des einzelnen blieb gar kein Platz, da waren sich die Leute einig.

Ich fange jetzt, mit sechzig Jahren, wieder neu an. Und ich freue mich, auf eigenem Boden bald die erste Furche ziehen zu können. Es geht mir jetzt im wesentlichen darum, daß ich eine Arbeit mache, die ich allein verantworte und durch die mir keiner wieder Kreuze macht. Ich mache das gemeinsam mit meinem Sohn. Ein Risiko ist bei jedem Unternehmen dabei. Wer kein Risiko eingehen möchte, sollte am besten überhaupt nichts unternehmen. Der läuft den Dingen doch immer nur hinterher. Das Risiko muß natürlich überschaubar bleiben.

Das mit den Großbauern ging eigentlich ganz zeitig los. Mein Vater hatte siebzig Hektar. Zunächst einmal wurden in der ersten Welle der Bodenreform die großen Güter aufgeteilt. Nicht alle Wünsche waren erfüllt worden. Das führte dazu, daß nun in den einzelnen Orten die Suche begann. Wer hat denn nun zuviel? Der ist zum Beispiel Großbauer, wozu braucht der siebzig Hektar? Die Wege waren natürlich sehr unterschiedlich. In unserem Ort wurde noch einmal versucht, eine Enteignungskampagne zu starten. Das glückte allerdings nicht. Aber um des lieben Friedens willen haben wir im November 1949, also die DDR gab es schon, acht Hektar abgegeben.

Ich habe Abitur gemacht, wollte eigentlich Mathematik studieren, wurde aber abgelehnt. Mein Bruder bekam auch keinen Studienplatz. Der studierte dann in der Bundesrepublik Tiermedizin. Den habe ich 1955 hierhergeholt, immer in der Hoffnung, auch hier würde sich das Leben normalisieren. Weil absolut nichts ging, wollte ich auch 1949 in die Bundesrepublik, aber mein Vater hat sein Veto eingelegt und gesagt, einer muß erst mal zu Hause bleiben. Ich habe mich entschieden hierzubleiben, weil ich dachte, daß dort, wo Land zu bearbeiten ist, wo es Gebäude gibt, wo Tiere stehen, immer auch normales Leben möglich ist.

Ich bin in ein Volkseigenes Gut gegangen, habe da ein Jahr gearbeitet und bin dann von dort zu einem Studium delegiert worden. Sonst wäre ich hier nicht zum Studium gekommen. Danach hätte ich eigentlich wieder auf das Volkseigene Gut zurückgehen müssen, aber da starb mein Vater, und man hat zugestimmt, daß ich nach Hause gehe. 1958/59 wurden auch hier Genossenschaften gegründet. In der Zusammenarbeit mit der Universität wurden wir LPG und zugleich Forschungsstützpunkt. Damals hat mich das ausgefüllt, und ich bin von der Richtigkeit des Weges überzeugt gewesen. Die Bauern fühlten sich zwar durch die staatliche Leitung auch schon bedrängt. Aber der Mensch lebt vom Optimismus, und man sagte sich, irgendwann werden die ja wohl kapieren müssen, daß es so nicht geht, sondern daß man auf bewährte Methoden zurückgreifen muß.

Für mich hat der verhängnisvolle Weg, der dazu führte, daß wir heute die DDR nicht mehr haben, Anfang der siebziger Jahre begonnen.

7. August 1990

Meine Meinung erst recht

Was momentan vor sich geht, gefällt mir nicht. Das wirkt sich auch auf die nächste Wahl aus. Aber es gibt Leute, die fragen danach nicht, die haben kein bißchen Einstellung.

Was sich im Grenzgebiet abgespielt hat, das ist schlimm. Wir haben schon zuviel erlebt, deshalb sind wir skeptisch. Es ist bloß gut, daß heute die Zeit humaner ist. Damals haben sie die Leute geschnappt, alles zusammengepackt, über Nacht, und haben sie fortgeschafft. Das fing beim Nachbarn an, mit dem man Stunden vorher noch geskatet, sich friedlich unterhalten hatte. Die nächste Stunde rief einen die Partei. Da mußte man antanzen, wurde fortgefahren, ins Kulturhaus eingesperrt, bekam Befehle und mußte, ohne noch ein Wort sagen zu können, mitmachen. Man wurde bestimmten Fahrzeugen, die auf den Einfallstraßen zur Kreisstadt aufgefahren waren, zugeordnet. Der, den man mit rausschaffen mußte, war der, mit dem man kurz vorher noch gekartet hatte. Tauschen zu jemanden, den man nicht kannte, wurde nicht akzeptiert. Um vier wurden die geweckt, die wußten vorher gar nichts – und um fünf ging das Aufräumen los, so hart war das. Wir haben uns geschämt. Aber was wollte man machen, es war Parteibefehl. Und die Partei hat von ihren Genossen viel verlangt. Parteidisziplin.

Aber die Leute, bei denen ich mitmachen mußte, die haben mir gleich gesagt, sie wüßten, daß ich nichts dafür könne. Manche von ihnen sind sehr krumm angeschaut worden, für mitschuldig befunden worden. Man wollte eben ein bestimmtes Gebiet sauber halten – störfrei, hieß es auch zu der Zeit. Das traf die Leute schon hart. Wer sein Anwesen vererbt bekommen hatte oder ein selbstaufgebautes Anwesen im Stich lassen mußte, in wenigen Stunden, das hat weh getan. Und wie es auf dem Dorf ist: Jeder kennt jeden. Und es ist mitunter wegen einer Lappalie gewesen, wie man so hinterher gehört hat.

Ich bin Ende 1945 in die SPD eingetreten. Meine Eltern sollten enteignet werden. Da haben sie gesagt, ihr Jungs geht mit in die Partei. Wir haben die Gegenpartei gegründet, die SPD. Die war sehr stark. Wir waren auf Anhieb fünfunddreißig Mann. Während es bei der KPD nur fünf oder sechs waren, aber sehr schlimme. Die haben nachts irgendwo in Häusern getagt und haben beraten, wer enteignet wird. Der eine wollte sich beim Ortsbauernführer reinsetzen, der eine bei uns, der andere beim Ortsgruppenleiter oder beim ehemaligen Bürgermeister, so wollten die zu etwas kommen. Eines Tages wurden beide Parteien vereinigt.

Ich bin Jahrgang fünfundzwanzig. Habe mich immer als SPD-Mitglied gefühlt. Das war für mich eine humane Partei, eine Arbeiterpartei, und deshalb sind wir da rein. Wir wollten diese Geschichten mit den Enteignungen und all das andere, was sich abgespielt hat, nicht.

Anfang dreiundvierzig bin ich eingezogen worden. Ich war in Hanau. Von dort aus ging es nach Frankreich und von Frankreich nach Norwegen. Und da war es dann ein glattes Jahr, daß ich nicht zu Hause gewesen bin. Wir sollten gleich an die Ostfront, aber wir haben gemeutert, denn wir wollten erst einmal heim. Das stand uns nach einem langen Jahr zu. Und da haben sie uns vierzehn Tage nach Hause gelassen. Und dann ging's nach dem Osten. Zum Schluß zurück nach Ostpreußen. Ich war mit eingeschlossen, und damit war der Krieg für mich als Verwundeter zu Ende. Ich bin über die Seestraße, durch den Belt, über Kopenhagen, runter nach Schleswig-Holstein ins Lazarett gebracht worden.

Aus meinem Jahrgang haben nicht viele überlebt. Wir sollten die Welt verändern helfen, aber das war Utopie. Wie konnten wir solche Mächte aufhalten, die schon vom menschlichen Potential her weit überlegen waren. Das war eine schlimme Zeit.

Mein Vater war Fabrikarbeiter, und die Mutter hat zu Hause einen Laden gehabt. Wir waren drei Kinder. Alle drei haben den Krieg überstanden. Der eine war in Italien und mein anderer Bruder bis hinter Moskau. Meine Mutter dachte nicht, daß wir wiederkommen. Zum Schluß kam keine Post mehr durch. Solche Zeiten wünschen wir uns nicht mehr. Und deshalb hat es einen bei diesen Geschichten an der Grenze oder im grenznahen Raum mitunter geschaudert, da hat man an Krieg gedacht. Die im Inland, die haben nichts gemerkt, aber wir, wir waren sehr hart konfrontiert. Wir durften ja nicht einmal in den anderen Ortsteil. Ich hatte einen Stempel, um betriebliche Geschehnisse regeln zu können, aber sonst war nichts drin.

Man hat ja verschiedene Wachttürme als Denkmal stehenlassen wollen. Aber das kann man wahrscheinlich nicht mehr, weil die Rage der Bevölkerung, der Zorn, die Wut, zu groß ist. Die haben die Fenster mit Steinen eingeworfen und alles ramponiert. Weil es eben etwas Belastendes war.

Ich arbeite in der Fabrik. Ich habe Hoffnung, daß der Betrieb überlebt, wenn jetzt die von drüben einsteigen. Jedoch habe ich von Anfang an nicht an diese Klausel 49:51 geglaubt. Da hängt sich kein Westbetrieb rein, in so eine Bude wie unseren Betrieb. Der ist ziemlich nieder.

Da hast du meine ganzen Orden. Selbstverständlich war man stolz, wenn man zu den Guten gehörte. Ich war immer arbeitsam, habe mir nichts schenken lassen. Wo ich war, habe ich meine Pflicht erfüllt. Wir sind nun einmal ein arbeitsames Völkchen. Das zeichnet uns eben aus.

Aber was nützt das, wenn im Betrieb alles runtergeschlumpert wurde. Weil nur rausgeholt wurde. Die Maschinen konnten zuletzt nicht mehr genug leisten. Auch unser neuer Betrieb wurde innerhalb kurzer Zeit so hochgeschraubt, daß es der Anlage nicht gutgetan hat. Es war auch schlecht für die Umwelt. Und für die Menschen in dieser Umwelt. Regelmäßig gab es Havarie, ist ein Betriebsteil ausgefallen. Wenn man das Wasser im Fluß betrachtet – also von Bayern her, wie sie uns immer eingeredet haben, kommt das nicht. Man sieht, wo das Abwasser von unserer Fabrik austritt. Das ist nicht hinwegzuleugnen. Das Wasser hier, das ist bakteriologisch tot. Da gibt es kein Überleben für einen Fisch. Der Schlamm gärt. Man hat weiter unten einen Damm aufgeschüttet, damit kein Schwepp entsteht, und der Schlamm marschiert los und ist nicht mehr aufzuhalten. Es soll eine Schlamm-wand von fünfzehn bis achtzehn Metern Höhe geben. Das ist enorm. Ich möchte nicht wissen, was für Schadstoffe sich darin befinden. Jetzt hört man ja manchmal was über die Luft. Ich habe von Hause aus Papiermacher gelernt, ich weiß Bescheid.

Nach dem ganzen Schlamassel mit dem Hitler hat man sich doch nach etwas anderem gesehnt. Da war das Kriegsende, wir waren begeisterte Menschen, weil wir diese Wende miterleben durften, weil wir vom Krieg heimgekehrt waren, weil wir überlebt hatten und weil es plötzlich nicht mehr schoß.

In der ersten Zeit konnte man ohne weiteres über die Grenze gehen. Wir kannten ja Weg und Steg. Im grenznahen Raum war verwandtschaftliches Rüberundnüber. Da kamen dann die Sach-sengrenzer. Die haben schwarze Uniformen getragen. Die waren auch noch human, eben Landsleute. Dann wurde es immer fester. Da stand dann unser «Freund» dort, der sowjetische Soldat. Weil man nach dem Krieg nicht gleich Arbeit hatte, haben wir kleine Hütten als Postenunterkünfte gebaut. Mit Arbeit ging es damals auch schwerfällig los. Das braucht seine Zeit. Und das läuft auch jetzt wieder an. Ich bin optimistisch.

Man weiß bloß gar nicht, wen man wählen soll. Was man so von der Regierung hört und sieht... Manchmal denke ich, die werden uns schon aus dem Schlamassel führen. Dann wieder das Gequas-sel.

Die PDS, wie sie so verlacht wird, ich meine, man hätte viel-leicht längst einen Strich darunter ziehen sollen. Und was sie heute noch für Geld besitzt. Ein großer Teil hat sich ja nun entschieden. Ich selbst bin im Dezember auch raus. Ich hatte nun absolut ge-nug. Ich habe gesagt, bis hierher und nicht weiter. Ich mache alles mit, ich unterstütze den Staat, ich bin kein Gegner. Aber solche Sachen. Die Gelder, die da waren, hätte man Krankenhäusern oder anderen Institutionen geben können, Kinderheimen oder Versehrtenheimen. Die wissen mitunter nicht weiter.

Mit der Wirtschaft läuft es nicht gut. Ich gehe mal von hier aus. Jeder fährt ein Westfahrzeug. Wenn das Geld vielleicht bei uns bliebe – aber so geht jeder dem Seinen nach, indem er sich ein schickes Auto holt, und auf diese Weise kommt das Geld wieder dahin. Weil uns unser Staat, unsere Organe so beschummeln und Überpreise verlangen, gehen viele Menschen dort einkaufen. Wir von unserem grenznahen Raum natürlich erst recht. Ich bin kein Prophet, aber in manchen Städten könnte es im Herbst etwas geben. So wie es sich im letzten Jahr in Leipzig entwickelt hat, so könnte man noch einmal auf die Straße gehen. Wegen der Unzufriedenheit, und weil dieses oder jenes vielleicht zu zaghaft geht.

Es sind noch zu viele von den alten Leuten, das ist die Volksmeinung, echt und ehrlich, und meine auch. Es nützt nichts, wenn ein Kreissekretär und ein Landrat oder, wie man früher sagte, ein Kreisratsvorsitzender abgelöst werden. Damit ist nichts weggesägt. Es gibt noch immer zu viele Funktionäre, die die Dinge steuern. Also so nicht. Das fängt schon in den Betriebsleitungen an. In der Fabrik hat sich auch noch nicht viel getan. Und da sind eben welche, die sagen jetzt erst recht ja und amen.

Ich war bei dem Arbeiterforum in unserem Betrieb dabei. Fast aus jeder Abteilung war jemand dabei, und ich hatte bei uns das Vertrauen. Der Werkleiter hat die Fragen gestellt, und wir haben gesagt: «Das fällt weg. Das brauchen wir nicht mehr.» Wir haben abgestimmt, mit Ja, Nein oder Wer-enthält-sich-der-Stimme, ganz konkret, und das wurde protokolliert. Und das war richtig. Da habe ich eine Zeitlang mitgewirkt. Aber jetzt werden wir nicht mehr verlangt, nachdem sich die Gewerkschaften etwas umgestaltet haben und sich so ein Betriebsrat gebildet hat. Einige waren schon zum Lehrgang drüben, um die Sache dann zu uns zu übertragen.

Wie das alles weitergeht? Das fängt schon bei den Urlaubsplätzen an. Wir haben billig Urlaub gemacht, unter 100 Mark für zwei Wochen, und da wurden die Leute noch mit dem Bus hingefahren. Das wird wahrscheinlich der Vergangenheit angehören. Das ist nun alles eine Frage des Geldes. Wir behalten unser Ferienzentrum. Wie aber die Eigentumsverhältnisse wirklich sind? Damals sind die abgerückt, haben sich nach Westberlin abgesetzt. Die klopfen nun wieder an die Tür und fragen: «Was ist mit meinem Eigentum? Ihr habt auf meinem Grund und Boden gebaut.»

Wenn ich an die Renten denke, wird mir himmelangst. Das ist nicht in Ordnung. Die bei der Polizei waren oder die von der Stasi, die kriegen heute 1000 oder 1200 DM, und ich gehe mit 760 DM nach Hause. War acht Jahre im Bergbau, unter Tage, war Sprengmeister, Bohrhauer, bis ich die Staublunge hatte, ich habe zeit meines Lebens schwer gearbeitet. Und dann 760 DM! Dadurch entsteht Haß. Die sollen auch nicht mehr haben als wir. Die sollen sehen, wie es ist, wenn man sein Geld mit richtiger Arbeit verdienen muß. Als ich vom Bergbau kam, haben wir das Geld zusammengebündelt. Da habe ich gesagt: «Ach, dir müßte mal das Geld verfallen.» Am nächsten Morgen ging der Ortsfunk, die Leute sollen ihr Geld ins Gemeindeamt schaffen. Bumms, hatten wir noch 330 Mark. Solche Schläge habe ich bekommen. Aber ich habe immer dafür gesorgt, daß die Familie nicht schlecht abgeschnitten hat.

Ich bin ja mitten unterm Volk, mal so ausgedrückt. Also, die allgemeine Stimmung ist sehr optimistisch. Trotz allem, was so ist: Einmal wird es anders. Das kann noch ein halbes Jahr dauern, aber es muß sich langsam annähern. Das ist die Meinung der Bevölkerung. Und meine erst recht.

11. August 1990

Der Parteitag
war der absolute Gipfel

Es bedrückt mich, wenn ich beobachte, wie gewissenlos alle unsere Errungenschaften weggeworfen werden, in kurzer Zeit. Ich finde es unbedingt mitteilenswert, daß es auch Gutes bei uns gab, bei allen Problemen. Zum Beispiel die Entwicklungsmöglichkeiten, die, zugegeben, nicht jeder, aber doch die meisten hatten. Oder die Kinderfreundlichkeit. Und dann das Zusammengehörigkeitsgefühl der Menschen. In der letzten Zeit, in der ich mehr Kontakte zur Bundesrepublik hatte, ist mir immer wieder klargeworden, daß dort zwar einzelne gute Beziehungen haben, aber in der Mehrheit lebt doch jeder für sich und strebt nur nach Geld. Geld wird zum Maßstab für alles. Und das war eben hier nicht so. Jetzt geht das in den Arbeitskollektiven, aber auch mit Freunden und Bekannten so Stück um Stück verloren.

Ich bin vierunddreißig Jahre alt. Mein Vater ist in der Landwirtschaft groß geworden, hat viele Jahre dort gearbeitet, ist Diplom-Landwirt und war später im Staatsapparat. Jetzt ist er Rentner. Meine Mutter war Kindergärtnerin. Wir waren vier Kinder und sind oft umgezogen. Ein Jahr waren wir im Internat, weil Mutti eine Parteischule besuchte. An sich hat es uns da gut gefallen. Erst viel später ist mir bewußt geworden, daß durch die berufliche Tätigkeit und die Parteiarbeit meiner Eltern wenig Zeit für das Familienleben übrigblieb. Wir sind nur einmal alle zusammen in den Urlaub gefahren. Das wäre heute undenkbar. Andererseits haben wir die Zeit, in der wir zusammen waren, sehr intensiv genutzt. Es war üblich, daß wir zum Abendessen alle gemeinsam am Tisch saßen, und es dauerte Stunden, so daß jeder seine Sorgen loswerden konnte. Deshalb haben wir es vielleicht auch nicht so empfunden.

Ich bin in eine Spezialschule mit Abiturstufe gegangen. Ich war nicht sehr gut und hatte auch an den Tätigkeiten, die uns in Aussicht gestellt wurden, nicht das rechte Interesse. In den Ferien habe ich öfter in meinem späteren Betrieb gearbeitet und bin dadurch in meinem Selbstbewußtsein bestärkt worden. Dann habe ich die Schule verlassen und bin ganz dorthin gegangen. Vater war sehr dagegen. Aber wir mußten schon von frühester Kindheit an selber entscheiden. Das war viel viel schwerer, als dirigiert zu werden. Zum Beispiel, wenn ich zur Disko gehen wollte: «Darf ich gehn oder nicht?» – «Mußt du selber wissen, ob es für dich gut ist.»

Sogar die Leute vom Betrieb haben gesagt: «Das kannst du doch nicht machen – nur Facharbeiter.» Aber ich blieb fest und habe es nie bereut. Ich brauche etwas, was mich interessiert.

Nach der Lehre in der Zentralen Ausbildungsstätte bin ich zum Betrieb zurückgegangen und wollte mich eigentlich später zum Studium bewerben, für Staat und Recht. Diese Richtung hat mich immer sehr interessiert. Nun waren aber Ingenieure in unserem Betrieb, die wirklich von der Pieke auf gelernt hatten, sehr selten. Und ich wurde zur Ingenieur-Fachschule delegiert.

Vorher bin ich meinem späteren Mann begegnet. Wir wollten zusammenbleiben, und ich wollte auch mein eigenes Leben, meinen eigenen Haushalt, selbständig sein. In S., wo gerade ein neuer Betrieb aufgebaut wurde, haben wir gleich eine Wohnung bekommen. An einem Ehepaar, das sich weiterqualifizieren wollte, war man sehr interessiert.

Der neue Betrieb hat auch meine Studienförderung übernommen. Doch bald gab es familiäre Probleme. Mein Mann wurde nicht damit fertig, daß ich nicht zu Hause war. Ich habe versucht, ein Fernstudium zu bekommen, aber da führte damals kein Weg rein. Als ich schon fest entschlossen war aufzuhören, wollte mein Mann das nicht. Ich bin jedes Wochenende nach Hause gefahren und habe nebenbei gearbeitet, damit wir mit der Familienkasse hinkamen. Ich habe mein Studium beendet, aber in der Zeit hatte ich drei Fehlgeburten. Das war furchtbar. Nach dem Studium klappte es dann mit unserer Tochter. Wir haben uns wahnsinnig auf das Kind gefreut. Aber mein Mann hatte sich schon angewöhnt zu trinken. Er hat mich geschlagen und sich anschließend wieder vor mir gedemütigt. Ich habe zweimal die Scheidung eingereicht und sie wieder zurückgezogen, weil er mir versprach, sich zu bessern. Bis sich alles so zuspitzte, daß ich wirklich den Mut dazu hatte, allein mit einem Kind, zu sagen: Jetzt ist Schluß, da geht nichts mehr.

Damals bemühte sich ein Arbeitskollege sehr um mich, das hat mir geholfen, die Scheidung durchzustehen. Meine Tochter war drei Jahre alt, und ich glaube, die hat noch heute Schäden aus der Zeit. Sie ist überängstlich, daß mir etwas passiert. Ich war damals schon Abteilungsleiter, und gerade meine Abteilung hat auch sonntags gearbeitet, nach einem komplizierten Schichtsystem. Dieser Arbeitskollege hat sich meinetwegen scheiden lassen. Er war sehr fürsorglich. Es war eine schöne Zeit. Ich wollte eigentlich kein Kind mehr, wegen der Probleme, die damit für mich verbunden waren, aber da ich ihn wirklich gern hatte, habe ich mir gesagt, na gut, versuchen wir es noch einmal. Wenn du nicht allein mit den Problemen bist, klappt es vielleicht auch besser. Ich war dann aber wieder die ganze Zeit krank geschrieben. Daß es zwischen uns dabei schlechter wurde, lag sicher auch an mir. Er war dauernd auf Achse. Mir ging es im Prinzip gut, nur daß ich dauernd zu Hause saß und grillig wurde, wenn er nicht pünktlich heimkam. Er hatte vorher eine Frau gehabt, die sich ihm bedingungslos unterordnete. Ich glaube, in Partnerschaften, die gut funktionieren, dominiert immer einer. Bei uns mußte ich alles entscheiden. Und ich habe mir immer gewünscht, daß mir mal jemand die Vorschläge macht und die Verantwortung übernimmt. Das wünsche ich mir auch jetzt noch.

Kurz vor der Entbindung bin ich noch einmal zu meinen Eltern gefahren, und als ich nach einer Woche zurückkam, war er ausgezogen und zu seiner Frau zurückgekehrt. Das war das Schlimmste, was ich in meinem Leben erlebt habe. Ich komme in die Wohnung, und seine Sachen weg ... Aber ich habe mich dann relativ schnell gefaßt und mich auf mein Kind gefreut.

Ich mag diesen Mann noch immer, aber wir können eben nicht zusammenleben. Wir hatten längere Zeit ein Verhältnis, bis seine ehemalige Frau es gemerkt und ihn vor die Entscheidung gestellt hat. Jetzt sind wir gute Freunde.

Ich war damals ein Jahr zu Hause, im Babyjahr. Anschließend habe ich in der Produktionsleitung gearbeitet und bin zu dieser Zeit auch als Parteisekretär gewählt worden. Ja, es war viel, aber ich bin gut damit zurechtgekommen. Ich bin nicht autoritär. Ich entscheide schon, aber ich hole mir immer gern den Rat von anderen ein. Es hat mir Erfolg gebracht, daß ich in meiner Parteiarbeit vollkommen unorthodox war, daß ich auf jegliche Rotlichtbestrahlung verzichtete. Ich bin eher ein praktischer Mensch. Damit habe ich mir auf der einen Seite Kritik eingeheimst, auf der anderen Seite hat es sehr gut funktioniert. Mir ist es gelungen, daß wir unsere Kampfgruppeneinheit im Betrieb wieder aufbauen konnten. Und ähnlich war es mit vielen anderen Dingen.

Das ist beispielsweise ein Punkt, wo ich überhaupt nicht mitgemacht habe – diese geschönten Berichte. Ich war ja auch Kreisleitungsmitglied. Das heißt, ich war dort neu und habe mir das zunächst aus dem Hintergrund angeguckt. Ich bin auch aufgetreten, das stimmt. Man wurde dazu aufgefordert, ich hätte mich nicht einfach melden können, das war absolut unüblich. 1986 hat man mich zum Parteitag delegiert. Im Prinzip hatte ich das nur dem Umstand zu verdanken, daß ich eine Frau war, jung war, eine leitende Stelle hatte und daß man mich außerdem noch immer als Arbeiter führte. Ich habe also die ganze Statistik auf einmal verbessert. Der Mann, der eigentlich vorgesehen war, war natürlich sauer.

Irgendwie war das schon etwas. Erschreckt hat mich der Pomp: Da wurden sogar Blumen und Obst eingeflogen. Überall war bombig was los, zu moderaten Preisen, vom Feinsten, vom Besten. Einerseits war es schön zu sehen, daß wir das auch alles können, andererseits hatte ich ein schlechtes Gewissen. Aber es gab auch andere Erlebnisse. Bevor die Tagung richtig losging, wurden Arbeiterlieder gesungen, spontan die Reihe um. Das hat mich sehr beeindruckt. Es waren ja auch viele Ältere dabei.

Aber dann in den Diskussionsbeiträgen – nur Schönfärberei. Ich war in einem großen Konflikt, ich habe mir gesagt, vielleicht begreifst du nur die Zusammenhänge nicht, aber gefühlsmäßig wußte ich, das kann doch nicht sein. Da ist dann auch Gorbatschow aufgetreten. Es war schon ein Erlebnis, die Leute selber zu sehen. Krenz empfand ich als abstoßend.

Inoffiziell wurde sehr viel diskutiert, aber es wäre undenkbar gewesen, sich zu Wort zu melden. Aus unserer Delegation sollte eine Lehrerin einen Diskussionsbeitrag halten, der war von der Kreisleitung frisiert, von der Bezirksleitung, beim Parteitag noch mal, und am Ende hat sie ihn nicht mal gehalten. Als die sozialpolitischen Maßnahmen verkündet wurden, stellte man das in der Presse so dar, als seien wir alle in Begeisterung ausgebrochen. Aber da war überhaupt keine Begeisterung, in Wirklichkeit gab es viele Diskussionen. Wir hatten schon mit dem Babyjahr so viele Probleme. Und nun noch einmal, und wieder zu Lasten der Rentner.

Ich bin mit achtzehn in die Partei eingetreten. Es gab schon früher Vorkommnisse, bei denen ich dachte, das kann nicht wahr sein, eigentlich müßtest du dein Parteibuch zurückgeben. Aber der Parteitag war der absolute Gipfel.

Im vorigen Herbst war ich erschrocken und froh zugleich, wobei der Schreck überwog. Es machte mir ganz schön zu schaffen, daß man vieles an Mißständen geahnt, aber nicht den Mut gefunden hatte, sie aufzudecken, daß sich dazu innerhalb der Partei keine Mehrheit gefunden hatte. Daß es erst dazu kommen mußte, wo man doch im Prinzip schon bei diesem Parteitag empfunden hat, hier stimmt was nicht. Warum man da nicht aufgestanden ist und das gesagt hat. Daß wir es im Prinzip alle wußten, wenn auch nicht in dem Ausmaß, und daß wir uns trotzdem alle gefügt haben.

Nach dem Parteitag war die Auswertewelle losgegangen. Ich mußte überall auftreten. Und da habe ich es so gesagt, wie ich es empfand. Alles wäre ganz gut und schön, ich verstünde, daß wir mehr Kinder brauchten, aber ich persönlich fände es auch nicht gut, daß die Generation, die es nach dem Krieg so schwer hatte, wieder leer ausginge. Daraufhin hat man mit mir Aussprachen gemacht und durch die Blume gesagt, ich solle mir doch sehr überlegen, was ich sage, wenn ich nicht bestimmte Einschränkungen haben möchte, um das mal ganz human auszudrücken. Ich merkte, ich wurde unbeliebt. In dieser Zeit sollte ich zum Frauenstudium an die Parteihochschule. Ich wollte keinesfalls in den Parteiapparat, keine Erklärung unterschreiben, daß ich nach dem Studium bedingungslos irgendwo hingehe. Ich war der Meinung, Parteiarbeit macht man an der Basis und nicht in irgendeinem Apparat. Ich habe mich mit meinen Eltern beraten und bin dann zu dem Schluß gekommen, da geriete ich in solche Widersprüche, daß ich meine Persönlichkeit aufgeben würde. Mit meinen Eltern habe ich mich verständigt, die Krankheit meiner Mutti vorzuschieben, um da rauszukommen. Und so bin ich wieder zurück nach R. gezogen. Einerseits hat es mir sehr leid getan, ich hatte in S. einen großen Freundeskreis, den Garten, alles in den Anfängen, in mühseliger Kleinarbeit begonnen. Aber ich wollte mir nichts aufzwingen lassen. Ich dachte, wenn du jetzt nicht gehst, hast du dir dein ganzes Leben ruiniert. Dann wirst du dir selber untreu.

In der Partei hatte ich dann relativ wenig Schwierigkeiten, alles war gut abgesichert und formuliert. Ich hatte auch ein Attest von Muttis Arzt. Im Betrieb war es schwieriger, da habe ich schon eine Lücke hinterlassen.

Im alten Betrieb hat man mir sofort sehr viele Möglichkeiten angeboten, auch schon, Betriebsleiter in L. zu werden. Das habe ich abgelehnt. Ich wurde im Stammbetrieb Gruppenleiter für Produktion und Absatz. Dort habe ich aber sehr schnell gemerkt, daß mich das nicht befriedigt, ich hatte sehr wenig eigenen Entscheidungsspielraum. Immer mehr merkte man, wie marode die ganze Wirtschaft war. Man dachte, es kann doch nicht wahr sein, wie funktioniert das Ganze bloß noch. Alle Berichte waren manipuliert. Ich habe mir dann auch den Betrieb in L. angeguckt, und ich muß sagen, noch heute ist mir unklar, wie ein Betrieb überhaupt so schlecht, so uneffektiv, mit einem derartigen Durcheinander funktionieren konnte. Es gab auch Bereicherungen, Verschleierung und Manipulation. Der Leiter war abgelöst worden, aber normalerweise hätten die Dinge vor den Staatsanwalt gehört. Ich hatte mit dem Kombinatsdirektor vereinbart: Gut, ich gehe hin und versuche es, wenn ich aber nach einem Jahr einschätze, ich schaffe es nicht, kann ich auch wieder raus. Aber wir haben den Betrieb nach mühseliger Arbeit doch aus dem Minus rausholen können. Auch den Leuten machte die Arbeit wieder mehr Spaß. Vorher hatte der Betrieb den schlimmsten Ruf gehabt. Die Betriebsangehörigen hatten alles miterlebt und immer vor Augen gehabt, daß da nie jemand zur Rechenschaft gezogen worden war.

Als Frau diskriminiert? Daß würde ich nicht sagen. Manche haben es natürlich erst mal versucht, aber die haben dann schnell begriffen. Eigentlich bin ich immer anerkannt worden. In den ersten Monaten gab es natürlich ein verdecktes Gegenarbeiten, da wurde mit allen Mitteln versucht zu verhindern, daß der Betrieb wieder läuft. Da waren Leute von der Kripo und von der Stasi, die ihre Hilfe angeboten hatten. Wir haben sie mit eindeutigen Zahlen und Fakten versorgt, aber nichts passierte. Sie erschienen gar nicht mehr. Später haben wir dann rausbekommen, der ehemalige Betriebsleiter war selbst bei der Stasi. Dem habe ich nach dem 9. November zu verstehen gegeben, wenn weiter solche Dinge laufen, werde ich dafür sorgen, daß alles aufgedeckt wird. Ich würde mir durchaus die Zeit dafür nehmen. Der hat sehr schnell begriffen, daß es für ihn besser ist, in Vorruhestand zu gehen.

Sehr schockiert hat mich, daß absolut keine Bewegung in der Partei war. Nach dem 9. November wurde versucht, Stimmung gegen uns zu machen. Da wir aber im Betrieb fachlich gut angesehen waren, blieb das erträglich. Wir haben uns an den Demonstrationen beteiligt und auch Briefe geschrieben. Es war schwierig, den Kindern alles zu erklären. Die waren ja auch stolz gewesen – Mutti war beim Parteitag. Und die Kleine fragte mich dann: «Mutti, was machen sie denn mit Erich Honecker? Das ist doch so ein guter Mensch.» Ich habe versucht, ihnen das kindgerecht zu erklären.

Im Prinzip bin ich nicht aus der Partei ausgetreten. Ich habe mich einfach nicht umgemeldet. Ich habe sehr, sehr lange überlegt, es war ein großer Konflikt. Die Demonstration am 4. November in Berlin hat mich begeistert. Ich habe vorher schon durch meinen Bruder davon gehört, der sie mit vorbereitet hat. Das war noch einmal ein Aufbruch. Aber dann gab es Vorkommnisse wie die, daß Kinder von Parteimitgliedern von anderen zusammengeschlagen wurden, im Dezember. Die Kinder waren ständigen Diffamierungen ausgesetzt. Bei meiner großen Tochter in der Klasse kamen viele Aggressionen von seiten der Eltern.

Man braucht sich nichts vorzumachen. Wenn jetzt die Vereinigung kommt, hat ein aktives PDS-Mitglied in so einer Stellung keine Chance. Wenn die ganzen Geschäftspartner, die wir jetzt schon haben, wüßten, wir sind PDS-Mitglieder, dann hätten wir wahrscheinlich die Kontakte nicht bekommen.

Aber ich verleugne nie meine Einstellung, da kann ich nicht aus meiner Haut raus. Diejenigen, die die DDR jetzt so vollkommen in den Dreck werfen, die sollen es noch zu spüren bekommen. Soweit es in meiner Macht steht.

Daß man eine gewisse Rücksichtslosigkeit lernen muß, fällt mir schwer. Man muß seine Ideen wirklich konsequent umsetzen, muß wissen, was man will und das dann ohne Rücksicht auf Verluste durchsetzen. Bei allem Pessimismus, bei allen Manipulationen des Handels sind wir noch liquide. Wir spezialisieren uns jetzt auf eine Richtung und wollen da wirklich mit höchster Qualität auf den Markt. Wir wollen uns nicht vollkommen unterwerfen.

Die Entwicklung ist schlimmer, als ich dachte. Die DDR-Identität kann nicht bewahrt werden. Man muß sich auf das ganze Deutschland einstellen. Ich will keinesfalls den Anschluß verpassen. Ich will mich noch einmal in Richtung Volkswirt qualifizieren.

Als Frau kann ich sicher später nicht Geschäftsführer sein. In unserer Branche ist das absolut nicht üblich. Viele fragen auch: Wie schaffst du das bloß? Aber ich habe keine Zukunftsangst. Ich schätze mich als couragiert genug ein, auch noch einmal etwas anderes zu machen.

Ich muß sagen, bei unseren Geschäftsbeziehungen zur Bundesrepublik, zu Österreich und Frankreich wird es anerkannt, wenn wir mit Stolz auftreten. Dann unterstützen unsere Partner uns auch und machen uns Mut. Sie sagen, mit etwas Unterstützung können wir mit unseren Betrieben auch eine Eigenständigkeit bewahren. Wir sind doch nicht dumm. Es fehlte uns bloß an Möglichkeiten.

30. August 1990

Blickpunkt DDR

Robert Havemann
Die Stimme des Gewissens
Texte eines Antistalinisten
aktuell essay 12813

Rolf Henrich
Der vormundschaftliche Staat
Vom Versagen des real existierenden
Sozialismus
aktuell essay 12536

Rudolf Herrnstadt
Das Herrnstadt-Dokument
Das Politbüro der SED und die
Geschichte des 17. Juni 1953
Herausgegeben von Nadja Stulz-
Herrnstadt
aktuell 12837

Walter Janka
Schwierigkeiten mit der Wahrheit
aktuell essay 12731

**Der Prozeß gegen Walter Janka
und andere**
Eine Dokumentation
aktuell 12894

C 2384/3

Blickpunkt DDR

Michael Heine/Hansjörg Herr/
Andreas Westphal/Ulrich Busch/
Rudolf Mondelaers (Hg.)
«Die Zukunft der DDR-Wirtschaft»
sachbuch 8728

Hubertus Knabe (Hg.)
Aufbruch in eine andere DDR
Reformer und Oppositionelle zur
Zukunft ihres Landes
aktuell 12607

Jonas Maron/Rainer Schedlinski
Innenansichten DDR
Letzte Bilder
sachbuch 8533 (August '90)

Michael Naumann (Hg.)
«Die Geschichte ist offen»
DDR 1990: Hoffnung auf eine
neue Republik
aktuell 12814

Charles Schüddekopf (Hg.)
«Wir sind das Volk!»
Flugschriften, Aufrufe und Texte einer
deutschen Revolution
sachbuch 8741

AKTUELL rororo SACHBUCH rororo

C 2384/3 a

Ökologie

KATALYSE, BUND,
ÖKO-INSTITUT, ULF
Chemie am Arbeitsplatz
Gefährliche Arbeitsstoffe, Berufs-
krankheiten und Auswege (5990)

Henning Friege/Frank Claus (Hg.)
Chemie für wen?
Chemiepolitik statt Chemieskandale
(12238)

Cristina Perincioli
Die Frauen von Harrisburg
oder «Wir lassen uns die Angst nicht
ausreden» (frauen aktuell 4719)

Klaus Traube u.a.
Nach dem Super-GAU
Tschernobyl und die Konsequenzen
(5921)

Herausgegeben
von
Ingke Brodersen

C 2266/6 a

**Ozonloch und
Treibhauseffekt**

12603

**Giftig, ätzend,
explosiv**

12349